岩 波 文 庫
33-124-9

西田幾多郎講演集

田 中 　裕 編

岩 波 書 店

凡　例

一、西田幾多郎の講演、講義録を一冊にまとめた。

『西田幾多郎全集』第十二巻(二〇〇四年七月、岩波書店刊)、十三巻(二〇〇五年一月、同刊)、十四巻(二〇〇四年一一月、同刊)の所収本文を底本とした。

一、旧仮名遣いを現代仮名遣いに改めた。ただし、原文が文語文であるときは旧仮名遣いのままとした。

一、漢字語のうち代名詞、副詞、接続詞など、使用頻度の高いものを平仮名に改めた。

一、編者による注記は、〔　〕を付して本文中に記した。

一、編者による「注解」を巻末に付した。

目次

西田幾多郎講演集

Coincidentia oppositorum と愛

（開学記念日講演）[1]

Coincidentia oppositorum〔コインシデンティア オポジトールム〕ということは、哲学史によく出て来る言葉であって、反対の一致というような意味である。私がこのことを話そうと思ったのは、仏教でも一方論理的な煩瑣な研究があると同時に、仏教もまた宗教として愛がその本質となっているだろうと思う。それで論理的な議論と手短かな宗教の本質なる愛との間に如何なる関係があるかを論じて見たいと思う。論理は普通冷静なものと考えられるが、その根柢には人間の感情に結びつくものがあると考えて、この題を選んだのである。

このCoincidentia oppositorum は近世の始め、ルネサンスの頃に、ニコラス・クザヌス[2]がいったことである。しからばどうしてこういう考えが出て来たかというと、基督教の神秘学派では神は不可思議であって、総て否定で顕わすべきものであるという、あたかも仏教でこれを「不」の一字を以て顕わすと似て居るのである。神は全智全能であるともいえない、有とも無ともいうことは出来ないとして居る。クザヌスはこの考えを積極的に表わすために Coincidentia oppositorum の考えを出したのである。

一体神は普通無限なものとして考えられる、そうして神と世界の対立を有限と無限との対立と見て居る。しかし神は無限といっても、それは有限を否定した無限ではない。さなくば神の無限が如何にして世界を生み出すか。有限と無限とが如何にして結びつくことが出来るか。そこで神の無限は有限を否定したものではなく有限と無限との一致した無限である、即ち Coincidentia oppositorum である。神は総ての反対の統一である。論理的に矛盾したものを統一したものであって、両立しないものの一致を神の性質と考えた。

こんな考えは仏教の論理的な方面にもあることと思う。これはいつでもある考えの終極に達すると、こんな風の考えになる。クザヌスはこの考えを数学的に述べて居る。例えば一つの線は無限であるが、そのどこをとってもまた無限である。全体から見れば部分は有限なものであるが、その有限の中に無限が包まれて居るというようなことである。

彼の無限の論は今の数学から見れば正しいものではなかろうが、彼の精神は今でも真理を含んで居る。とにかく Coincidentia oppositorum ということは哲学の深い根柢をなして居る考えである。

クザヌスの後に出たブルノーもまた彼の考えをとって自分の哲学の根柢として居る。またベーメも宇宙の根柢はやはり矛盾したものの一致であるとして居る。それから後代のシェリングの考えの中には、ブルノーを通じてクザヌスの Coincidentia oppositorum の考えを得て来て居る。のみならずこの考えは現代の哲学にも用いられ得る。有限と無限の関係をよく言い表わしたものはヘーゲルである。彼は無限を二種として、一つを schlechte Unendlichkeit 悪無限とし、今一つを das Unendliche 真無限とした。そうして真無限とはいわゆる有限と無限とを統一したもの、即ちクザヌスの Coincidentia oppositorum であるとした。[3] それは独立して自ら働いてゆくものであって、悪無限とは有限との相対的関係に立つ無限のことである。言わば俗の世界は悪の世界であるとして捨て去り、禁欲主義によって悪を脱せんとするが如きは、悪無限の考えであって、即ち現実の否定となる。真の無限とはこの欲世界にあって穢れないのである。「大隠は市に隠る」[4] 底の態度である。かくヘーゲルは、真無限は endlich + endlos であるとした。しかし彼ではまだこの無限についての考えが明晰ではない。現代において、これを明晰にしたのは数学者のカントール[5]である。

彼の考えたところによると、無限とは whole = part なるものを言う。例えば

（A） 1 2 3 4 5 ………… infinite
（B） 2 3 4 5 6 ………… infinite
（C） 3 4 5 6 7 ………… infinite

この場合(B)(C)はいずれも(A)の部分である。すなわち(B)は(A)より一だけ少なく(C)は二だけ少ない。しかし(A)(B)(C)はいずれも各々無限である。即ち全体と部分とは等し。

B
D
A
C

この考えは現今の総ての数学の根柢となっているものであって、これを幾何学について見るも、例えば図のABACの二線は無限とせばBACの面積は無限である。次に線ADを引くときは、BADの面積はまた無限である。しかも面積BADは明かに面積BACの部分である。かつ二者ともに無限であるを以て、部分と全体とは等しい面積を有することになる。これによって、クザヌスの考えが一層明かにされたことになる。

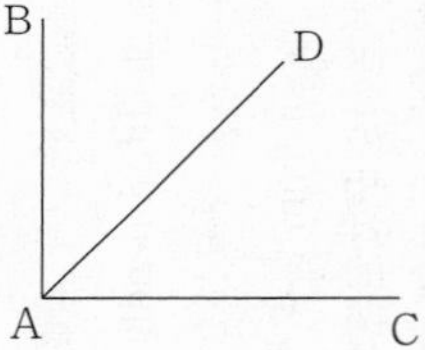

このことは「我」の意識においてこれを体験することができる。我は我を知る。知る我と知らるる我とは同一である。例えば自分がコップを知っているという場合は、自分はコップより大であるが、自分が自分を知って居るという場合は、知る自分と知らるる

自分とは一つである。即ち部分と全体とが同一でこれが真の無限であり、具体的には「自覚」がそれである。(6)

Coincidentia oppositorum は始めは宗教上に用いられたが、宗教の上では煩瑣な議論に見えるが現今の数学や、現実の自覚もこれによって成り立つのである。実は知識はすべて Coincidentia oppositorum を根柢として成立して居るものと思う。概念的知識は、最も簡単な形においては判断即 A is B の形に帰する。A is B という判断がどうして成立するかというに、ゼボンス〔William Stanley Jevons〕などの論理学では、主語と客語の結合であるとして居るが、現今の論理では、A is B の判断が成立するにはそこに一つの綜合的全体があるとするのである。ヘーゲルは判断即ち Urteilen といって、全体を分けたものが判断であるとして居る。(7)「馬が走る」という判断には、「走る馬」なる全体的直観があって、それを分けて、「馬が走る」という主語と客語の対立の判断となる。よって知識の成立する根柢にはある綜合的全体がなければならぬ。例えば「白は黒にあらず」というときには、白と黒とを比較するある全体があって、この判断が生れる。そうしてこの全体は白でも黒でもない。かつ白ともなり黒ともなり得るものでなければならぬ。それは反対のものであるとともに一つであるところのクザヌスの Coincidentia oppositorum である。それではその全体は知識の対象となりうるかというに、そうではない。知識は判断である。判断には主語と客語を統一する全体が必要である。それでこの全体はその場合判断となって顕わることができぬ。それは無限に背進するのみである。即知識が成立するには知識となり得ないものがある。これが全体の直覚である。それは論理的判断の対象とはならぬがその基礎となるのである。そこで、我等が新たなる知識を得る事は、こんな直覚を得る事である。普通の場合でも、そうであるが殊に古来学問上の大発見をした人は、論理の連鎖を辿ったというよりも、偶然にある全体を直覚してそれを論理によって組み立てたものである。有名な仏国のポアンカレが函数に関する発見をした時の如きは、まさに馬車に乗らんとする時に得たものであるという。この様に、総て発見とは新しい綜合的全体をつかむことである。それではそれ等の直覚が出て来る時は、どんな形を取るかというに、むしろ感情[8]といった様な形を取って出て来る。それを論理の形になおして行くのである。ベルグソンの考えもこれであって、我等の論理的知識は一つの型によって固定したもので、他の新たなるものにはあてはまらぬ。新しい知識または生命の拡張は、我等の生命の底に霧の如き何物かがあるそれによって実際の場合に指導される事によるのである。この著しい者を天才という。

そこで Coincidentia oppositorum が知識の根柢となるという事は、これくらいにして止めて、これが愛と如何に結びつくかを見てみよう。

我等が真に愛するという事は自と他の矛盾の一致である。即他を愛するという事が自分を愛する事になる。かく愛の本質はこの Coincidentia oppositorum がもっとも純粋に顕われたものである。この Coincidentia oppositorum はまだ論理においては消極的であるが、愛においてそれは積極的につかまれる。一体いろいろの知識は独立にして相入れないものである。それを統一する綜合的全体が即ち Coincidentia oppositorum である如く、我等が他と対立して、利害相入れない矛盾のところに一致の結合をする心情が愛である。

この愛は論理的には説明はできぬが、論理上の Coincidentia oppositorum が生活においての愛であって、一切の基礎となっておる。無論知識から愛への過程にはこのくらいの説明ではまだまだ論理上陥欠があるが、今はこれで略しておこう。

こう考えると、宗教上の神仏とはその本質は愛であるといってよいと思う。知識の竟(きわ)まるところ人格となりてこの人格は Coincidentia oppositorum であるが Coincidentia oppositorum が結合するものが神または仏であって、愛が神や仏の essence である。それでこれはあくまで知識の対象となる事はできぬが情意の要求によってこれを味わいこれに結びつく事ができる。故に神を知識的に限定する事は中世の否定神学のいうが如く不可能である。しかし Coincidentia oppositorum は一切の人間活動の基礎となり、愛の形によってその極致が示されるのである。即ち極めて論理的な概念が現実生活に極めて密接な事実となる。仏教でも、華厳などから、浄土真宗に移るところにこんな意味がありはしないかと思う。

エックハルトの神秘説と一燈園生活

（大正十一年　京都夏期托鉢会における文学博士某氏の講演）

第一回

一燈園のお方に知り合いのある関係上、いろいろ一燈園の主意なりお考えは、幾分か解って居るかと思って居るけれども細かい所まで承知しているわけではないので、今夜、どういうお話をすれば、皆さんに適当であるか、判断に苦んだのであるが、学校の講義のようなものを話そうと思う。それが皆さんの御要求であるか如何かも心もとないのである。

一燈園——私の知っているだけの——から見て、西洋哲学上、相類している所があり、あるいはそれが一燈園の主義に、哲学上思想上の基となりはしまいかと、思うことを話してみようと思う。

西洋の文化は、一体に、外面に発達して、色々な事物の権威を、外界の上に発動する傾向がある。しかし、それに反して西洋の哲学宗教の根本基調をなして流れている一つの流れがある。一言にしていえば神秘主義(mysticism)である。東洋の仏教に類似し、特に禅宗に似ている所のものである。一燈園では未だ教理が立っている理(ことわり)ではないが、結果において、そういうところへ結びついて来はしないかという考えを私は持って居る。

神秘主義は西洋では余程(よほど)古くから起って、ギリシアの終り頃にその萌芽が見られるのである。紀元三世紀の頃既にプロチン(Plotin)[1]が出て居る。プロチンに従えば、世界は一つのものから出来ている実在であって、心でもなければ物でもない。すべてがそこから出てまたすべてがそこに帰する、即ちすべては一(いち)に帰するという考えを持って居た。このプロチンの思想は、哲学上に一つの流れの源をなして、中世の終りから近世の始め十二、三世紀の頃西洋哲学の上に神秘主義の花が盛大に咲き誇り、遂に宗教に結びつき、こういう教理を持った宗教団体なども出来たのである。

マイステル・エックハルト(Meister Eckhart)[2]が、その代表的な哲学者である。中世の終りから近世へかけて神秘主義哲学が盛大になったのは、この人の思想を中心として発展したのである。今ここではエックハルトを主として論じ、一燈園との類似点を見て行きたいと思う。

彼の哲学から、基督教と離れて精神上の修業をした宗教団体が生れた。すべてを棄てて貧困ということを修業しようとする団体が生れた。エックハルト自身は、学問的に彼の思想を説いたのであるが、弟子達のうちには、純粋な学問上の立場に立って、思想を伝えて行ったものと、実行方面に向ったものとがあった。後者は絶対に何ものをも所有せず、貧困と謙遜とをその思想の結果として修業し、身も心も貧困となったところに、神との一致を得ようとしたもので、和蘭(オランダ)のルイスブロック[3](Ruysbroeck)はそれを厳密にやった一人である。ルイスブロックに関しては、マーテルリンク[4]の著があり、日本でもよく知られている。トーマス・ア・ケムピス[5]の著書とされて居る『基督の模倣』(Imitation of Christ)などもやはりこの思想と連絡があるものであると思う。実行方面に向ったものの実行が、どういう方面に表われたかといえば、要するにこの『基督の模倣』ということであったように思われる。

　エックハルト(c. 1260–1327)は十三世紀から十四世紀にかけての人で、宗教家というよりも学者風な所のあった人である。彼の説教は多く残されているが、その説教のなかには、哲学上の解説が含まれて居る。それを見ても如何に学者風な宗教家であったかが知れる。その弟子達には、学者として立ったものと、ルイスブロックの如く実行方面に向ったものがあったことは、前述の如くであるが、この思想に似て居るものにアッシジのフランシス[6](Francis of Assisi)がある。フランシスの方がやや時代が古いのであるが、何か両者の間に関係があるかも知らぬが、未だ研究していないので詳(つまびら)かにせぬ。日本でいえば禅宗のようなもので、一種の修道院的(モナストレート)なものであった。

キリスト教は、外面的な仕事に重きを置く風がある。無論キリスト自身は、ユダヤの形式に反して、自分の精神を浄めるのが、主であったと思われるが、一般のキリスト教は、外面的に傾いて仕事を主として居るので、今日の基督教には、こういう思想は、正当なものとしては見られないが、哲学上にはぽつぽつ現れて居るのである。しかしその時代の如くでないことはいうまでもない。

エックハルトは心の働きを三つに分けて居る。一つは五官の働き即ち感官と、今一つは考える力即ち理性である。以上は普通に誰でも知って居る所のもので、一つは見たり聞いたりする感覚と、一つは考える力、理性とであるが、彼はその上に超理性的な能力(super rational faculty)があるとした。それは心が一つになった状態であって、前述の感官の働きと理性の働き以外に、今一つの別な働きがあるのでなくて、それらが一つになったとき、純一になったとき、私のないとき、言葉を換えていえば我のないとき、我を忘れたとき、火花のように現われるFunke(火花)である。この力によって、自分と人との区別がなくなり、自他一体、神と我と一致する働きがあるのである。それは感官あるいは理性で考えていえるのでなくて、それらを棄てたとき現れる光である。光という言葉は、前の時代からあって、ラチン語ではスチンテリア[7](scintilla)と言った。その光のうちにあって、我と物と人と、すべてが一つになり、神と人とが一つになると考えたのである。エックハルトは無論基督教徒であったが、彼の神に対する考えは、普通の基督教徒と余程違って居る。

エックハルトの神とはどんなものかというに、先ずプロチンに溯って説かねばならぬ。プロチンは、ギリシアの終り紀元三世紀頃の人で深い思索家であって、ショウペンハウエルのいわゆる『神の如きプラトー』よりも、形而上学者としては以上だとする人もある。人としてもそれ以上であったであろうと思われるが伝記が詳かでない。当時の人達から非常に尊敬されて居たことは事実である。日本の禅僧のような逸話が沢山にある。弟子が「あなたは何処で生れたか、年は幾つだ」と問うたが、「何処で生れたとて、どうでもよいではないか、そんなことは外面的なことだ」といって答えなかった。またある時プロチンの肖像を写生したいと申し出た者があったが、「体は心の影だ、影を描いて何になる」といってその申し出を斥けたということである。

プロチンの考えを基督教に取り入れたのは、ディオニシュース[8](Dionysius)の書いたといわれて居る著書に依ってである。この著書に拠ると、神の考えは基督教でいう神と違って居る。基督教では、神は全知全能であるというが、彼に従えば、神というのはなんともいうことが出来ぬものである。なんとかいえばもはや神を限るのである。完全無欠、全知全能、こういえば既になんとかいって居るのである。なんともいうことが出来ぬものであって、しかもすべての基となって居るもの、それが神である。其処(そこ)ではすべてのものが一つである。其処において我と神とが一つになれる。ちょっと聞けば無差別と聞こえもしようし、無差別な暗い穴のような神だとも考えられるかも知れないが、無差別といえば既に差別に対立して居るから神ではない。それを超えた所に神があるのである。其処からすべてのものが働いて出るのである。我々のうちには色々な差別がある。その差別は、差別を絶した絶対無差別——こういうことが既に当を得て居ないが——一に帰したところから出て来た差別の種々相である。我々の働きは一度はそこへ帰して、そこから更に働き出て来る差別の働きでなければならぬ。

　この神の思想が実行方面に向えば如何なるかといえば、今いったように本に帰ること即ち一に帰することが、人生のすべての目的である。天地未分の前の状態に帰ることが目的であると考えて居る。人が争ったり、苦悩したりするのは、この本から離れる故であって、再び本に帰すというのが人生終始の修業である。それにはすべてのものを捨てなければならぬ。財産というがような物を捨てるばかりではなく、心の持物智識をも棄てて、全くの無一物となって、本に帰らなければならぬとした。これがプロチンからエックハルトまで続いた神の観念である。

道徳の方面においても、普通の道徳と違って居て、行為の結果を考えないで、心持ちそのもののうちにすべてを認めようとするのである。『基督の模倣』といい、ルーテルが感化を受けたといわれて居る『独逸神学』といい、この思想の流れに沿うて居るのである。この思想の流れは西洋と東洋とで、種々な点に異った所はあるが、仏教の考えなどと類するところがある。

以上説いただけでは、あるいは難解であり、プロチンやエックハルトの所説は、我々の日常の考えに非常に遠いように思われるかも知れぬが、少し考えて見ると、我々に直接な事実と違いないと思われるのである。単に哲学的な論理的な抽象的な考えのように思われるであろうが、人間の心を考えてみれば、エックハルトのいうが如きものであろうと思われる。心が純真で純一である状態即ち我と物とが一に帰したところまで行けば、物そのもの、人そのものになるという感じは、絶えず我々の心に働いて居る。神そのものになるという感じが我々を支配する場合があるのである。人類の愛というが如きは、神において一つになるというところから働き出て来るのである。

心というものは妙なもので、種々に変って行くが、その変るうちに、やはり変らないものがある。例えば赤いものを見、次ぎに青いものを見る。赤いものを見た場合は赤に、青いものを見た場合は青に変って行くが、変ると同時に、赤そのもの青そのものにならずに、赤と青とは違うことを区別して変ることのないものがある。しからば違うということを区別するのは、何に依ってするのであるかといえば、やはり、変ると同時に、そのものにならずに、変ることのない、一つのものがあるからで、全くその底に共通でしかも不変な、一つの流れがなければ区別は出来ないのである。

人と人との関係においても、人と我との差別を持ち、人と我との判然として判断をつけて居るのも、人と我とは違うとともに、変りのない同じ一つの流れに沿うて居るからである。同情や憎しみが起るのも、その流れの中においてであって、心と心の結びつきが愛となり、心と心の衝突が憎しみともなるのである。

火花によって神に到達するのが人生の目的である。エックハルトの考えは悪くゆけば、無差別に墜ちて消極的になるおそれがある。人の心と我の心は常に離れて働き、離れて各自思い思いの方向に活動を続けて居るが、一度はその源へ帰って一つに結ばれて居るところへ立ち帰って、そこから自由に働き出して行くのでなければならぬ。源に帰ったのみで自由に働き出して来ないでは、一方に偏することになると思う。

哲学でも宗教でも一度は其処を通らなければならない。源へ帰って更に流れ出して来るのでなければならない。其処が哲学の基である。プロチンやエックハルトが哲学の基をなして居るといわれるのもこの点に根差して居るのであると思う。やや後れて出たヤコブ・ベーメも同じ様な考えを持って居り、独逸哲学の頂点ともいうべきシェリングやヘーゲルもこの人を尊重して居る。

実際問題もそこが根本であって、一に帰された心から更にまた働き出て来なければどんな働きもなくなる。ただ心が一に帰したというだけで、赤でもなし青でもなしというだけでは無差別に終って居るに過ぎない。また情の方面でも、可愛いとか憎むとかいう働きがなく、可愛いくなければ憎くもないというので、そこにどんな情の動きをも無くして了うというのであれば、虚無に墜って了うという弊害があるのである。そういうことのない、一に帰された絶対の自由から哲学も生れ道徳も生れるのである。

普通に我々が道徳に支配されて居るのは、真実な自分でないと思う。外部から与えられた形式に依って、その形式に自己を当てはめて行って居るに過ぎないように思われる。しかし真実の道徳は、すべてのものを忘れて一度この一に這入って、其処から出て来るものでなければならぬ。形式その他あらゆるものが、生きて働いて来るのでなければならぬ。其処に哲学と道徳が根本を一にし、純粋な情の働きと心が一致するのである。

そういう真実在のうちに這入って始めて芸術や、宗教や、哲学が生れるのである、単に無に帰して了うというのであれば、何の働きもないものになって了うのである。智識は智識として働き、人情は人情として働くには、一度はそこを通して、真実に生きて働いて出るのでなければならぬ。こうして働き出てこそ、その真実在がすべての基をなして居るといわれるのである。エックハルトの考えは多少消極の一方に偏して居ると思うが、そうならぬ様に注意せねばならぬと思う。

こういう立場に立って働く人も、その働くということと思想とが結びつかなければならないと思う。ただ働くというだけでは無意味になりはしないかと思う。それかといってただ思想だけでは、精神上のことばかりになって、学問と変りがないものになって了う。超理性的な智識は、ただ考えて出るのではなくて、実行のうちに、働いて居る間におのずから出るものである。ただ働くというだけでは、肉体的な労働と変りがないものになって了うが、一燈園の人々の働くというのは働きのうちに智識を含んで居なくてはならぬ。

芸術家の技能も広い意味で一つの智識である。学問的な智識でないが、働くことに依って得られる智識である。オランダの画家レンブラントが弟子から「どうこの絵を描いたらいいだろう」と聞かれたとき「考えて居ては駄目だ。まあ描いてみよ」といったという話があるが、今いった智識とはそういう風にして得られるものである。描いている間におのずからどう絵を描けばいいか、どういう筆触をすればいいかという智識が得られるのである。その働きにはちゃんと眼がついて居るのである。画家の筆端や彫刻家の鑿（のみ）の先には、この眼がついて居て決して盲目ではない。我々の頭の中のように鋭敏である。しからばその眼は何であろうか、超理性的なものから得られる眼である。我々の日常の行為の上にもこの眼がついて居なければならぬ。その眼なくして働くことは、ただ肉体の労働に墜ちて了う。それかといって眼だけで即ち智識だけでは駄目である。レンブラントのいったように、描いて見なければ解らないのである。働いて見なければ解らないのである。

第二回

前回において、ギリシアの終りに出たプロチンの思想に源を発し、中世の終り十三、四世紀に独逸（ドイツ）に花を開いた、エックハルトの神秘説について話したが、エックハルトの思想の要点は、智識以上に直覚というものがあって、言葉をかえていえば智識以上の智識があって、そこにおいて、自分と他人が一つになり、神と自己が一つになるという、根本思想であり、この根本思想から種々の差別が生じ、物と我と、自分と人と、色々に分れて来るというのである。

芸術でも宗教でも道徳でも、一度は其処を通らなければ真実なものとはいい得ない。

真善美というが如きも、そこから流れ出て来るものでなければならないものであろうと思われる。そうでなければ、人意的なものとなる虞（おそれ）があるからである。この点をエックハルトは強く主張したのであった。一見すれば西洋思想と反したものであるが、西洋哲学の中にもこの流れがあるのである。東洋の仏教とは余程近接したもので、一燈園でもそういう考えが根底になって居るのではないかと思われる。

ここに問題になるのは無差別ということである。このような思想は、無差別に墜って了って、ただ単に智識を否定するというような弊が起って来はしないかということである。真実のところへ行けば真偽だとか、智識の区別はいらぬのであるが、真も偽も否定して了うならば、暗黒い穴蔵のようなところに這入りこんで了うようなもので、すべてのものと結びついて生き生きとした働きを欠くようなことになる。善悪というものも、単にこれを否定するなら、何をしてもよいという無差別に墜って了う。一度は根本へ還元されなければならないのであるが、この欠点に墜ってはならぬ。

火花を通して出る純粋な生きた力、これが最も大切なのである。種々な差別があるとともに一つに統一され色々に別れて居てまた一つである。そこに真の自由があるのである。智識においても、すべての心の働きを統一してごく純粋に働き出る、智識を超越する智識、スーパーラショナルな智識が生れるのである。智識を恐れるのでなくて智識を超越して理以上の理の立場に拠るのである。そういうところから出る道徳は、道徳に反するのでなくて道徳を超越するのである。智識を恐れるということをよく言われるが、智識を恐れるのは自分の生命に弱い点があるのである。未だ真実なものを把持して居ないが故である。善悪ということも善を善とし悪を悪とするに止まらずして、善悪とも包含するところに火花の意義があるのである。

智識にも種類があって数学物理学の如き智識と、生命の智識とは直接に関係がないのである。例えば、尺で物を計るとする。それが五尺あろうが、一丈あろうが、それは計られたものの智識で、計るということの智識ではない。計るということの智識と、計られたものの智識とは別である。この机は何尺あるか、計られた何尺という智識と、計るとはどういうことかということの智識とがある。パスカルの言った言葉に「人間は極めて弱いものだ。人間は葦のように弱いものだ。だから人間を殺すことは何でもない。一滴の毒でも殺せる。しかし人間はかくの如く肉体は弱いが、考える力を持って居る葦だ。全世界をもって押しつぶしても、押しつぶされぬことを知るが故に、考える力は遥かにその上に出て居る」というのがある。かくの如く智識には二通りの智識がある。即ち智識と、智識の智識即ち智識以上の智識とである。後者が生命と結びついて居るのである。物の智識は我々の生命の内容と、内面的関係はないが、智識の智識は、生命と離れることの出来ないものである。こういう意味において、真の哲学は智識の智識でなければならぬ。

智識と宗教とは関係がないようにいわれているが、無論関係のないこともあるが、しかしそれは智識の意味によるのである。トルストイの人生観に一大転機の来たのは、彼の五十歳前後であった。しかもそれには、ボンダレーフ(Bondareff)という無学な一農夫(ムチーク)[9]が力を与えた。その人生観の転機を示す著書だとされて居る彼自身の著に *Le Travail*(work)『労働』というのがあるが、それはボンダレーフの言をトルストイが書いたもので「汝の額に汗してパンをこねよ」というのがボンダレーフの人生観の基調であり信条であったのであるが、ここでボンダレーフは真に無学であり無智であるかが問題である。文字こそは知らなかったが、一つの人生観を持った哲学者であったと考えられるのである。かように我々の行為と智識とは結びついて居るものであると思う。正当な智識であるなら正当な行為と離すことの出来ないものであると思う。

智識なり、学問なり、道徳なりがそれらを包括し、それらを纏め得てその上に出て居る高い智識、智識以上の智識と、衝突するはずはないのである。もし其処に衝突があるなら、いずれかに間違いがあるのである。真の智は即ち行であり、真の行は即ち智であらねばならぬ。

例えば物にダイメンションということがある。平面は二次元とされ、立体は三次元とされて居る。我々の住んで居る世界はこの三次元である。普通の智識を二次元とすれば二次元の世界における普通の智識よりも、もっと深い三次元の世界の智識とは何等の衝突もない訳である。そうして二次元の世界を三次元の世界が包含して居るのである。故に前に述べた火花の状態即ちすべてを否定した状態即ち一に帰された世界に這入ったとしてもすべてが無くなり差別が失われるのではなくて、高い世界から見てすべてが明かになって行くのであろう。

智識の奥に、もう一つの智識即ち超理性的ともいわれ、直覚ともいわるべき流れがある。それが我々に真実の智識を与え、我々の生命は、この心の奥に流れて居る智識によって、導かれて行くのである。例えば、物を見た場合、まだ赤という判断はない。見たことは一つの働きに過ぎない。後から判断の型にはめて赤いとするのである。かくの如く型にはめるのが智識である。すべて智識に創造的な内容を与えるのは心の奥に在る超理性的な作用である。我々の内奥には、このような智識で突くことの出来ぬ、智識の極まったところのあるものがある。動物の本能を考えて見ても、色々の働きをやるが、動物は先き先きまで考えてするのでなく、ある働き言わば本能の働きに任せて生命を保って行くのである。しかるに人間になるとすべて智識で進んで行くと考えられる。人間にも本能はある。またたとえ本能は智識で照らし尽し得ても、如何なる理智を以ってしても、照らし尽すことの出来ない深いものが、我々の心の奥にある。内面的生命ともいわるべきものがある。これが智識を導いて行くところの心奥の流れである。エックハルトの「火花」という如きものもそれであろう。

我々の心は智識から始まるのでなく、衝動から始まるというのが、心理学者の考えである。哲学上から見ても、やはりそうなければならぬ。智識は真実在その者を知るのではなく、ある型に拠って物を見るのである。物自体を知るのではない。我々が普通に言って居る世界は後から反省して構成したもので、後から拵(こしら)えたものであって、真実に我々が生きて居る世界は、智識以上の世界である。

芸術の世界においては、見ることは、同時に働くことである。働くことそのことが見ることである。深い生命を見るということ、それは働くことである。働くということ、それは深い生命を見るということである。画家はこのようにして自分でも解らない程よく知って居るのである。そこに芸術家が働くことが知ることだ、知ることが働くことだといい得るのである。画家が物を見るのは、我々の見るのとは違う。我々は純粋に見ることだけにならないが画家は純粋に眼になる。見ると言うことだけになる。これが真実に絵を作るのであって、かく全身で見ることから創作の働きが生れて来るのである。画家が絵を描いて居るときは、手と眼と一所になったときで、眼に手を加えたもので見、手と眼で描いて居るのである。画家が見て居るときは、もはや眼は眼だけではない。眼が全身であって手も体もその内に含まれて居るのである。少し芸術論に這入って行くかも知れないが、絵は、物の型ばかりを描いても、それは生きた絵にはならない。智識以上の立場から描いた時、その絵は生命ある絵になるのである。生きた絵というのは智識以上に生命が流れて居なくてはならぬ。前述の如く全身眼のみで見ることだ。全身眼で見ること、そのことが生命の流れに這入ることだ。そのような立場から描くのでなければならぬ。例えば南画の如きである。形も何もないのであるが、もし智識的に物を写すのが絵としての価値があるものとすれば、最も価値のないものである。しかしほんとうに形を現して居る写真と比して、絵の価値が同日に極められないことは論ずるものでもない。しかしながら智識以上の立場といっても、智識に反するのではなく、智識を含んだところにほんとうのものがあるのである。智識を越えた、其処に智識以上に働く生命があるのである。芸術の創作に当って工夫を凝らすために骨折っている間は、本当のものは現れぬが、骨を折りきったところに、真実なものが現れるようである。智識においても、智識に行き詰ったとき、智識以上の立場が解るのである。ほんとの智識を積んだところに、智識以上の智識が解るのである。善悪の立場を尽したところに真に善悪以上のものが現れるのである。道徳に反するのではない。それを越ゆるのである。それを内に包むのである。

最後に、エックハルトの流れを受けたと思われる「神の友」(Gottesfreunde)[10]の団体のことを一言して置きたい。しかし調べて見たが、実践の方法についてはよく知るを得なかった。

十字架像をかけて、それを拝んで居る篤信な商人があった。しかし後彼は商人を止めて、武士となり、結婚の式の前日に何か感ずるところがあってすべてのものを捨てて精神修養に入った。五人くらいそういう様な人々が出来て修養団体となった。一燈園は他へ托鉢するのであるが、この団体は団体内の一人が一人に従属して修養したらしい。離れたところに散在してあったようだが、毎日一所に集まって経を読むようなこともしたらしく、当時の学者や宗教家に影響を及ぼしたようでもあった。団体に習慣法があってすべてを処理して行ったもののようであるがそれ以上は解らぬ。教理はエックハルトと同じようなものである。

生と実在と論理

従来の哲学では論理と実在と生とがはなればなれに考えられていて、それがいかなる点において互に結びつくかという事が明かにされていなかった。例えばカントの様に認識と実践とを始めから区別して考えて行けば確かに一通りの問題の解決は得られよう。しかしその二つの世界がいかに関係するかという点が明かになっていない。私はそれを一つにまとめて考えて行きたい。論理が生と実在とに一つである事を明かにするのが私の一つの目的なのである。

もっともカントにおいても論理が実在であるという意味はあるにはあった。カントはアリストテレス的な論理を実在の論理にしたのである。純粋理性批判の構造を考えて見れば直観形式と図式時間と純粋統覚[1]の三つが根本的な要素である。このライプニッツに由来するらしき純粋統覚は、アリストテレス的な範疇を通じて作用するものであるが、その論理的な「我」はいかにして感覚的なるものと結合するのか。両者を結びつけるものはいうまでもなく図式時間なのであるが図式とは何であるか。カントでは図式時間の論理が明かにされていないのである。またあらゆる認識の根源たるべき自我そのものがいかなるものなるかが充分に考えられていないのである。つまり論理に結びつく「論理的ならぬもの」がいかにして結びつくかが明かでないのである。そのことは当為から出発した実践理性批判についても同じである。要するにカントでは実在と生と論理の結合が不充分だったのである。

哲学はもとより論理を離れたる事は許されない。しかし要点は論理がいかにして生を把え得るかにある。実在を論理的に把えんとした人は古代にあってはプラトンとアリストテレスであった。そしてある程度までは実在を論理的に把え得ているのである。しかし彼等ギリシア人が実在と考えたものは今日我々が実在と考えているものと必ずしも同一ではない。まずギリシア人にとっては歴史的実在は存在していなかった。且つ今日の自然科学的実在も存在していなかった。彼等の実在はむしろエステティッシュ(美的)な実在であった。それは真に苦悩(Leiden)の実在とはいい得ないものであった。ギリシアの論理はかかる美的な存在を把える事は出来たであろう。しかし今日の我々の有つ実在を把える事は出来難い。今日の歴史と自然とを一つにして我々に理解させる事は出来ないのである。カントは一応深く自然科学的実在を考えた。しかし彼は歴史的存在を充分に顧慮していない。その歴史と自然とを一つに考えんとする事はヘーゲルの意企したところであった。彼は生は即ち論理であり、論理即ち実在と考えた。しかしヘーゲルの論理すらなおギリシア的な論理から充分に脱却していなかった。かくして現在に到るまで主観と客観、現象と物自体、精神と肉体という如きものは充分の統一を得ていないのである。いかにしてそれ等は互いに結合されるか。現象界と叡知界とはいかにして結びつくか。現象界は感覚に基き叡知界は当為に基くというがその両者の結合は如何にして可能であろうか。カントの如き考え方においては、現象界のみがあって、叡知界が存在しなくてもよいのである。しかし両者は更に緊密に結合されなければならない。私は現象界の極限に叡知界があると考えたい。現象界の根底(Grund)に叡知界があるのである。しかして逆に叡知界は現象界を予想するのである。かくの如き事はいかにして可能であろうか。

私は判断が可能であるためには何等かの意味で一般者が考えられ、その一般者の自己限定が判断であると考えるのである。そして普通の知識の世界は限定された一般者の自己限定に依って成立するのであるが、限定された一般者の自己限定に依っては個物にまで達する事は出来ない。個物に達するには飛躍(Sprung)がなければならない。そして個物を限定する一般者はもはや限定された一般者ではあり得ずして、無限定なる一般者、即ち無の一般者でなければならない。無の一般者の自己限定はしからばいかなるものであろうか。それは自覚的一般者の限定である。即ち我の限定である。元来自己は自己として見られたなら既に自己ではない。自己を限定するものは従って見られぬ自己であり、無なる自己であらねばならない。即ち自己は無なる行為的自己の限定において成立するのである。

以上は判断を一般者の自己限定として考えたのであり、プラトン的な考え方であるが、逆に個物の自己限定として判断をアリストテレス的にも考え得よう。けだしいかに一般者を限定して letzte Spezies〔最後の種〕に達しても、それは未だ個物ではない。個物に達するには無の一般者の自己限定に依らねばならぬのであるが、それは限定された一般者の自己限定では達せられ得ない。しかも判断は、真に判断である以上、個物にまで達しなければならない。それ故アリストテレスはプラトン的に一般者の方から出発する事をよして、個物から出発した。即ち個物の自己限定に依って判断が可能となり、判断が成立すると考えたのである。即ちプラトンは一般者の自己限定により、アリストテレスは個物の自己限定によって判断が可能となると考えたのである。従ってプラトンとアリストテレスとを併せて考えれば、そのいずれもが充分ではなくして一般者と個物とは相互的(Wechsel)であり、従って Individuum〔個物〕= Allgemeines〔一般者〕でなければならない。即ちその個物は具体的普遍でなければならない。しかしそれはいかにして可能であろうか。判断は個物の自己限定によって可能であるというけれど、個物の自己限定とは何であるか。

一般者から個物に達する事は出来なかった。個物は把え難く達し難い（unerreichbar, unfaßbar）。個物が限定されて初めて判断が可能となるのであるけれど、しかも個物が限定され終れば、既に個物ではない。それにもかかわらず個物はなお自己を限定し得なければならない。例えばライプニッツのモナドは無限に限定されたものであるではあろう。神の無限なる限定に依って唯一のモナドが定まるのである。しかし無限に限定され終ったモナドは bestimmtes Individuum〔限定された個物〕であって、bestimmendes Ind.〔限定する個物〕ではない。単に他から限定されるのみで自らを限定しない個物は真の個物ではない。(2) 従って真の個物は限定する事と限定される事との両方からの極限でなければならない。それは他からの限定の極限であって、また他を限定し返すものでなければならない。限定された極限においてかえって自ら自らを限定するのである。従ってライプニッツにおいて真に個物といい得るものは、自ら自らを限定する神のみであろう。個物はかくして矛盾である。その事は時における瞬間の限定においても知られよう。瞬間は時という一般者の自己限定の極限である。しかも瞬間は限定の極限でありながら、なお把え終る事が出来ない。しかもかえって時は瞬間からきまるのである。そこに、das Einzelne ist das Allgemeine〔個物は一般者である〕の意味が認められている。個物はかくて implicit〔潜在的〕にはあらゆる一般者を含み、かくして判断が可能となるのである。まことに個物の極限に行く事は ein Unerreichbares〔到達不可能なもの〕に行きあたる事である。その達し難きものに達した時に、逆の方向への限定が見られるのである。しかしこの方向を異にする二つの限定は連続していてはならない。そこに連続があれば一方未だ神に達しているのでもなく、他方個物に到っているのでもない。個物は限定の極限において無になるのである。死するのである。しかし自らに死する事によって個物は甦るのである。無から自己を限定し来るのである。無にぶつかる事によってはねかえるのである。個物と一般者とは相互に限定するのである。相互の間に Schwanken〔揺らぎ〕が存するのである。

(1) その有様を表から、即ち一般者の方向から見るならば、個物は一般者の限定として常に無に接し、無にぶつかり、自己を滅しつつ常に新たに甦るのである。それは個物から個物に飛躍しつつ動く事である。モナドからモナドに移る事であり、点から点に動く事である。そこに動く個物 (bewegendes Individuum) が見られ、bestimmtes〔限定された〕ならぬ bestimmendes Individuum〔限定する個物〕が見られるのである。かかる唯一な個物が考えられる事によって、逆に一般者が決定されるのである。その事は時間においても見出される。瞬間はまことにunerreichbar〔到達不可能〕である。しかも何等かの仕方においてつかまえられるから時が一般に限定されるのである。一つの瞬間が限定されるとは、それが絶対に触れる事であり、それは同時に、その瞬間が滅して次の瞬間が生まれる事なのである。かくてそこに時間系列が見られる。

(2)　しかしその同じ有様を裏または底から、即ち個物そのものから見るといかがであろうか。その時は時間系列は消えて同じ一つの点に永遠のSchwankung〔動揺〕が見られるのみである。時は足ぶみをするのである。その時、瞬間は時において無しとも考えられるのである。そこは永遠の今である。瞬間が時を超えると共に、永遠の未来と過去とが消されるのである。ここに我が自由である事の根拠がある。(3)かくして個物は一般者の限定の極限であり、一般者は個物の限定として考えられる。かくて真の判断は個物と一般者との両方から成立するのである。その中間にあるのである。個物は死する事によって生まれるのである(durch den Tod gebären)。個物は自己を破壊する事によって生まれ、生まれる事によって自己を破壊する。それ故個物は、瞬間に等しく、点から点(sprunghaft)に移るのである。時には連続はないのである。しからば飛躍とは何であるか。しかしてそこには何等、点と点とを結ぶ媒介物はないのであろうか。

まことに個物は自ら自己を限定する。それは自我を顧れば明かである。自我は個物の極限である。しかして自我が定って世界が定るのである。一般者の自己限定において、個物はむしろ極限を超えたものである。即ち無なるもの、死したものである。しかし死したものであるという時同時に個物は生まれるのである。そこに個物と一般者の Wechselbestimmung〔相互限定〕がある。さて今、私は、個物は一般者の極限を超えたものであるといった。しかしそれを超える時に、全く一般者の外に出てしまうのではない。一般者はやはり個物を限定しなければならない。限定出来なくとも、しようとしなければならない。この無限に個物を限定せんとし、しかも限定し得ざる一般者の姿が Sollen〔当為〕として見られるのである。個物は把えんとして把え得ざるものである。限定すべくして限定し得ないものである。逆に言えば、個物は一般者に従うべくして無限に従わぬものなのである。個物が例えばαとして限定される時、限定されると共に既に個物たる意味においては死して、次のβに移っているのである。個物そのものは無限に限定され尽されないのである。かくしてαがβに移る時αを限定した一般者は Sollen としてβに残るのである。それ故、かく個物が死して生まれる時（αに死してβに生まれる時）、両者の媒介の如き意味を有するものは Sollen に外ならないのである。Sollen が Verbindungsmittel〔結合の媒介〕なのである。丁度物理学においてエレクトロンが動く時光を発するという、その様に α が β に運動し、α が消える時に一般者の光がほとばしるのである。それが Sollen なのである。物質と光が同時に見えないといわれるのは、個物の消える時に一般の光が見られるのと同一ではなかろうか。時間は真に非連続である。しかもそれを結合するものが Sollen なのである。物理的時間ならぬ真の時間は瞬間から瞬間へ飛躍する。しかしてそれを結合するものは Sollen なのである。従って自我の同一という如きものも、いわゆる内感によって知覚されるのではない。知覚されたものは自我ではない。自我を知るものはむしろ一つの努力である。未来をも限定せんとする当為の如きものにおいて自我の同一が見られるのである。言わば無限に足ぶみする所ののにおいて自我の同一が見られるのである。しかも自我、即ち個物そのものは一般者の内に完全には取り入れない。その一般者が無限に自我を限定せんとする努力が当為なのであるから、我は丁度悪魔が神にそむいて悪魔の世界を構成せんとするが如くに、一般者の限定を逃れんとするものであり、即ち Begierde〔欲望〕なのである。個物は Begierde である。我は Begierde としてかえって我から一般者を限定せんとするものである。α、β の点そのものが一般者を限定せんとするのである。かかる Begierde としてのみαとβとは Sollen に制約されて結合するのである。ここに sich bewegendes Individuum〔自己を動かす個物〕が見られるのである。

かくの如くに一般者と個物の関係を考えるから、rational〔合理的〕と irrational〔非合理的〕との関係も普通の考え方と異ってくる。例えばコーヘンの如きは合理的から非合理的を考えた。オン〔有〕からメオン〔非有〕を考えている。しかして経験論者はその逆を考える。しかしかくの如くに合理的と非合理的とを離して考えてはいけない。真に理性的とは合理的にして非合理的なる事をいうのである。両者は untrennbar〔不可分〕なのである。合理的と非合理的との関係は一般者と個物との関係である。従って合理的と非合理的とは互に互を限定するのである。偶然と必然の関係も同様である。分離して考えれば無意味になるのである。

persönliche Identität〔人格の同一〕は個物を限定するところに成立する。それが自覚なのである。個物の自己限定が自覚であるが故に、ここに論理と体験の結合がある。判断は自覚において成立するのである。我々の自覚の体験が論理的なのである。我々が自己自身を限定するところに我々の認識が成立するのである。さてかくの如くにして瞬間〔Augenblick〕が瞬間を限定し現実が現実を限定するところに Dialektik〔弁証法〕が成立するのである。かく瞬間が死して生まれる所に弁証法が成立するのであるから、ヘーゲルの弁証法は不充分である。ヘーゲルでは implicit〔潜在的〕なものが explicit〔顕在的〕になり、更にそれが統一される、即ち an sich〔即自〕なものが für sich〔対自〕になり、an u. für sich〔即自かつ対自〕になるというのであるが、彼の弁証法は連続的である。彼は絶対的なものをノエマ的に考えたのである。(4) しかし真の弁証法は現実の底に死して生まれる事でなければならない。即ち行為的でなければならない。我に死して一般者に生き、一般者に徹して我に生まれるのである。an sich とは現実の底に行く事であり、für sich とは一般者として自己を限定する事である。しかしてその矛盾が直に一つであるところに、無限たるプロセスが生じるのである。ここに動くものが見られるのである。それが an u. für sich なのである。かかる考えは Phänomenologie〔現象学〕においてむしろよりよく看取されるのである。もっともかく言っても一般者が忘れられたのではなくして、それは Sollen において見られているのである。一般者はその時無限に個物を追いかけるものなのである。しかして真に個物の限定されるところは無なる場所においてであり、永遠の今の自己限定においてなのである。ここにおいて zerstreute Individuen〔離在する諸個物〕が限定されるのである。ここに bestimmendes Individuum〔限定する個物〕が見られるのである。それに対するものが当為なのである。ここに人格の可能がある。ここに jede Person〔各人〕が jede Zeit〔各時〕を持つのである。ここに到って Anschauung〔直観〕

の世界Neutralität〔中立〕の世界が見られるのである。Anschauungがあらゆる時をつつむのである。カントは絶対のSollenから出たのであるが、その時はSollenは無限に個物を捉えんとして追いかけるのであり、個物はそれに反抗するのである。カントでは自由は現象界から遊離している。個物から離れている。彼の自由は何を考えてもよいという如き自由である。その法則は万人の法則である。かかるものもguter Wille〔善意〕のMotiv〔動機〕たる事は許されよう。しかし真の自由はかかるものではない。真の自由は個物と結ばれていなければならぬ。個物が自分自身を、出来るだけ限定された極限において、かえって自分から限定し来るところに真の自由があるのである。かく考えてのみ現象界と叡知界とは結合され得るのである。

（昭和七年一月三十日）

＊

個物とはいかなるものであろうか。それは自ら自己を限定すると共に他によって限定されるものでなければならない。スピノザの本体の様にcausa sui〔自己原因〕として全く自己自身によって限定され得るものは個物ではない。個物は他によって限定されているという意味を有たなければならない。それは確かに矛盾である。しかしこの矛盾的な限定が初めて個物を限定するのである。個物は矛盾である。まことに個物は限定された時に滅ぶのであるけれど、その亡ぶところから常に生まれるのである。否定が肯定なのである。その際、否定の面から見れば個物は無数の飛躍的な点であり、肯定の面から見れば、それは不動の一点である。即ち一面からは無限の運動であり、他面からは永遠の静止である。しかしながらその無限の運動は同じ一つの点において動くのであるが故に、その無限の運動は前に進むと共に、後に復帰するとも考えられ、円環過程をなすと考えられる。ここに限定された一般者の如きものが見られるのである。

さて論理は総じて実在の自己限定の形である。それ故個物という論理的な規定を深く考えて行けば実在するものに達するのであり、自我が考えられる事にもなるのである。それで自我とは如何なるものなるかを考えるために時間とは如何なるものかという事から考えて行こう。

すべて実在するものは時においてあり、wirklich〔現実的〕なものは zeitlich〔時間的〕であり、時は実在の形式と考えられる。しかし時は普通に考えられる様に過去から未来に一直線に進行する如きものではない。それは考えられた時に過ぎず、かかる時においては過去の過去は見られ得ず、未来の未来は知られ得ない。それのみか現在そのものが把えられないのである。現在がないのである。しかしながら現在のない「時」は現実的な時ではない。我々はむしろ時を現在から考えなければならない。現在から過去と未来とが考えられるのである。時の出発点は現在なのである。しかしかかる現在はいかにしてきまるか。瞬間は如何にしてきまるか。瞬間は一つのIndividuelles〔個体的なもの〕であるのである。個体の如きものであるが故に、real〔実在的〕なのである。そこから現実の時がきまるのである。しかし個物は先に述べた如く矛盾したものである。その様に瞬間も矛盾である。瞬間は唯一でなければならない。あくまで限定されたものでなければならない。しかも瞬間は把えられてはならない。とらえられて仕舞えば最早現在の瞬間ではない。それ故瞬間は限定されてはならない。かくて瞬間は限定されて限定されぬものとして矛盾である。真に個物と言われるものはかくの如き瞬間に他ならないのである。かかる瞬間の自己限定は自己を限定する事によって自己を失い、しかも自己を失う事によって自己を得るのである。瞬間は消える事によって生まれるのである。そこでは時が常に滅して、しかも常に甦るのである。普通に時は連続線と考えられている。しかしそれは空間化された時にすぎない。真の時は各瞬間において消え各瞬間において始まるのである。各瞬間においてすべての過去を消し、すべての未来を始め得る。プラトンが『パルメニデス』〔一五六D－E〕にいう様に、瞬間は時の外にあり、そこにおいて運動は静止に変じ静止は運動に転ずるのである。時は実にかかる瞬間の自己限定としてきまるのである。従って時は消えて生ずるものの連続であり、点から点へ瞬間から瞬間への飛躍的な連続である。時は矛盾において成立する。時は弁証法的である。時は無限に変じつつ、無限に変じない。すべての時は絶対の無において消えて絶対の無において生まれるのである。絶対の無は変じない。そこに永遠の今がある。「時は止る」と言われる所以である。現在が現在を限定する時に、限定するものなくして現在が限定されるのである。無にして現在が限定されるのである。そこに無数の時が可能になる。その無数の時をつつむものが即ち永遠の今なのである。かかる永遠の今のいずれの点においても時は消えてまた新たに生まれる。かくて時は常に新しくどこからでも始まる。その無数の時が表から見られた時、それは一つの点に収まるとも考えられる。その一点がすべての運動をつつむのである。その永遠の場所において種々なる時が可能になる。それ故に種々なる時は場所の意味を有ち、空間的な意味を有つ。ここにOrtzeit(局所時間)[6]が認めらるべき所以がある。元来時の形式が論理であり、論理は時において見られるのである。

時の構造はかくの如きものであるとして、次に、しからば「我」とはいかなるものであろうか。すべての時は現在の現在の限定によって定められる。時の中心は現在である。その現在の意味を深く尋ねて行けば、自我とは何であるかが明かになるであろう。まことに過去の我も未来の我も現在の我から考えられるのである。現在が我の中心(Zentrum)なのである。自己のあるところが現在であり、現在は我のあるところである。

現在の自己限定が即ち我の自己限定なのである。(我々はかく考えて行く事によって無の自己限定の積極的なる意味を明かになし得るであろう。) 我は時においてあり、否、時は我においてあるのである。一体個物(Individuum)が定まるのは瞬間からである。しからば瞬間は何によって定るか。瞬間を定めるのは自我である。個体は、全体があり、Weltall〔全体世界〕がまずあって、そこから定まるのでなく、瞬間から時が定る様に自我から全体が定るのである。ここにあるこの机は我によってきまるのであって、Weltallから定るのではない。個物の根底は自我なのである。自我の限定によって個物は可能になる。自我がすべて弁証法的なるものの根底なのである。

我々は今自我の論理的構造を明かにする前に、まず我々の体験に即して、言わば現象学的に自我とは何であるか、永遠の今の限定とはいかなるものなるかを考えて見よう。すべて哲学が新たな路を開こうとする時には、自我に立帰った。自覚から出発した。アウグスチヌスもデカルトもそうであり、カントもまたかかるものと考え得る。しかしその何れも自我の一面に触れたのみという憾(うらみ)がある。デカルトの cogito ergo sum〔我思う故に我あり〕は動かし難き真理を有している。しかし彼の考えるように存在は思惟ではない。I think〔我思う〕を I am〔我あり〕の内容と考える事は不充分である。自我はけだし個物(Individuum)でなければならない。従って普遍的な思惟ではなくして、個別的な意味を有つ意志でなければならない。メン・ドゥ・ビラン(7)のいう様に「我欲す故に我あり」でなければならない。即ち自我は Begierde〔欲望〕でなければならない。従ってそこには Selbstliebe〔自愛〕の意味がなくてはならない。我は愛するのである。既にアウグスチヌスも Ich liebe mich〔我が我を愛する〕を自我の重要な要素と考えた。しかしむしろ自愛が即ち自覚の本体でなければならない。しからば自愛とは何であるか。欲望が直ちに自愛ではない。欲望なくしては自愛はないであろう。しかしその故を以て、普通に考えられている様に欲望を満足させるのが自愛ではない。かえって単なる欲望の満足は自己が自己を失う所以とも考えられる。元来欲望とは何であろうか。欲望とは物を欲する事である。空腹にして食を思い渇して水を求めるの類である。総じて対象に関わる事であり、それ故にまた我を失う所以なのである。しからば自愛とは何を愛するのか。食を求めるのも自愛の一つの姿となり得よう。けれどその時は食そのものを求めているのではない。自愛とは正に物ならぬ Person〔人格〕を愛するのである。総じて Liebe〔愛〕は Person に関わるものなのである。しからば人格とは何であるか。人格を考えるに際してはカントのいうが如き Reich der Zwecke〔目的の王国〕から出発する必要がある。人格とは物でもなく、力でもない。人格とは他人を人格とする事によって、自己を人格とするものなのである。他を絶対とする事によって自らを絶対とするものなのである。故に愛は Begierdeと正反対の方向に存する。愛はあくまで物に関わらしめてはならない。物を吾々は欲するので愛するのではない。男女の愛の如きも欲望が加わっているかぎり真の愛ではない。真の愛は人が人に対するのである。自らを人として見ることによって他を人として見るのである。我は絶対なるものを我の外に立てる事によって、自らを絶対とするのである。そこに愛があるのである。愛とは従って普通にいわれる様にAがBと同一になる事ではない。かかる時にはまだ真の愛が見られているのではない。けだしそこには絶対な人格が見られていないからである。人格はあくまで独立であり、相互にgetrennt〔離在〕でなければならない。しかもそれにもかかわらず我が汝において我を見る時に、そこに愛があるのである。それは我が死する事によって他において生きるのである。パウロの「我生くるにあらず、キリスト我にあって生きる」の境地が真の愛なのである。それが人格的な愛なのである。単に他と一致するのは対象と一つになるだけである。それはエロスに止ってアガペではない。人格とは絶対に他を人格として認める事によって自らを絶対とするものなのである。その関係が愛なのである。我々は物から内面に進んで人格を見出し得るのではなくして、まず人格と人格との関係から自我を考うるべきである。目的の王国から考えなければならぬのである。

しからば自我の統一とは如何なるものであろうか。我の自己同一も以上にのべた「絶対に隔離されたものの同一」の形において考えられなければならない。個人的の我そのものが目的の王国の形式において考えられなければならないのである。我が人格であるというのは、我の一々の瞬間が絶対であって、しかも結合しているからである。昨日の我と今日の我と更に明日の我は互に絶対に離れていて、しかもその間に結合がなければならない。それは連続した線のようにして結合されるのではない。互に一々の瞬間が自分を絶対としつつ他において自己を見出す事によって、そこに人格の統一があるのである。従って個人の同一は社会と同じ形式において成立している。社会を構成するものは愛であり、個人を構成するものも愛なのである。我は自愛において成立するのである。

しからば我と他との区別、また関係はいかなるものであろうか。永遠の今の自己限定としての瞬間においてすべての時が含まれ、時が実現されて行く様に、愛の一々の点において他の点が含まれ人格の同一が含まれるのである。それ故自愛と他愛とは形式を等しくするも、自愛が現実的な点であって、従って他愛もまたそれが現実になるのは自愛の形においてである。自愛として他愛も実現される。ただ人格は互に絶対に getrennt されていて、しかもその結合が愛である故に、愛には自他が直ちに同一になり得ぬ点がある。ここに愛が Sollen〔当為〕を含む所以がある。Sollen を含まぬものは愛ではなくして欲望である。人格と人格との結合には乗りこえ得ないものがなければならない。それ故愛には当為の意味がある。

しからば身体とは如何なるものであろうか。二つの人格が絶対に getrennt であると考えられるのは身体に依るのである。しかも身体を通じて相互の理解が媒介されるのである。我は一面において直ちに身体であり、しかも他面において身体ではない。我の身体の底はつかみ難く達し難い。身体の底は直ちに深く我に通じている。達し難き我の深底である。しかも身体は我に逆らい我と離れている。かかる身体は生理学者のいう如き身体ではない。生理学者のいう身体はかえってかかる深き身体から抽象的に考えられるのである。実に我々の自我の同一はいわゆる意識を通じて可能になるのではない。自我を一つに結合するものはかえって身体なのである。身体は我にとって知り難きもの、我を否定するものである。我に対して他なるものの意味をもつ。しかもその身体を通じて我の意識の結合が可能となるのである。我の身体が我に対して既に他なるもの、離れたものである。従って他人の身体は一層我に対して疎遠でなければならない。しからば相互の身体と身体との間にはいかなる結合も考えられないのか。絶対に getrennt(別々)なものとものとを結合するものは表現である。しかるに身体は表現であるからしてよく相互に離れているものを結合するのである。身体は表現である。身体の表現を通じて人格の同一(persönliche Identität)が成立し、また他の人格との結合が可能となるのである。

それは Leib〔身体〕を通じての結合であり、即ち leibhaftig〔生き生きとした〕な結合であり、Leben〔生命〕の結合である。そこにおいて絶対に getrennt なものが結合されて行くのである。かかる身体と身体との結合はしかしまだ getrennt なものとものとの間の unbestimmt〔未限定〕な結合である。真の結合は明確に getrennt な純なる人格と人格との結合に至って可能となる。しかしここに到ってもなお身体的なるものが存するのである。カントの intelligibles Wesen〔叡智体〕の如きものにも身体性があると考えられる。sublimierter Leib〔昇華された身体〕を有するのである。しかしてかかる身体が人格と人格との間の Getrenntheit〔離隔性〕の原理であり、しかも同時に結合の原理である。絶対なる一々の人格の間の Getrenntheit は愛によって消されて行くのであるけれど、どこまでも分離の原理として身体的なものが残るのである。人格は単なる理性ではなくして、むしろ個体的なるものの極限である。従ってそれは分離していて結合しているものなのである。そしてその二重の働きを身体的なものが営んでいるのである。昇華された身体が叡知的なる我においても存するのである。自我の Einheit〔統一〕はかかる身体的なるものとの関係において成立している。それが自我の構造なのである。自我は独立な他の人格を立てる事によって自らを独立にするのである。我々自らが既に無数の独立な人格の集合である。我々は先に時間をば個物と一般者との関係から説明したが、かくの如くに説明し得る深き根拠は、人格と社会との関係の内に含まれていたのである。我は生まれる事によって死する。我は無の自己限定であり、永遠の今の自己限定である。我は対象的には限定され得ない。自我とはその一々が絶対に自由なるものの集合である。すべての我は死する事によって生まれるのである。我は弁証法的な運動である。我は無限に変化しつつ無限に変化しない。我の統一は時間的な統一である。さて時間においては瞬間が時を決定せんとするが、瞬間はそれ自らが限定されたものでありながら一般を限定しようとする。この如くに我において個物が一般を限定せんとするのが Begierde〔欲望〕なのである。瞬間にも比すべき個物が一般を限定し得た時、それが即ち欲望の満足である。しかしかく欲望が一般を限定し、従って自己を一般化し得た時、個物は個物としては死したのである。しかも個物が自己に死する所から、即ち個物が自己の限定を破るところから個物は新たに生まれるのである。その個物が欲望の形である。従って欲望は死するために生まれたところの矛盾的なものである。実にショウペンハウエルのいうが如くである。しかしかかるすべての欲望の生死を超えてそのすべてをつつむ根底がある。永遠の今がある。不動の今がある。この無なる我においてはすべての運動がつつまれている。矛盾的なものがつつまれているのである。それが愛なのである。愛は getrennt〔別々〕なものをつつむのである、結合するのである。しかしてかく一つにつつむ愛により人格の統一が定まるのである。人格は自愛によって定るのである。アガペにおいてAは自己をBの内において見る。絶対に他なるものにおいて自己を見るのである。その様に自愛において独立な無数の人格が結合するのである。そしてその限りpersönl. Einheit〔人格の統一〕が自らに知られるのである。まことにアウグスチヌスがかつていった様に我々は知らないものは愛しないのである。愛は知である。対象として知るのではないとしても愛するということは我と離れているものの内に我を見る事である。他になる事によって我に帰るのである。死することによって生まれるのである。元の我に帰るのである。それ故自愛において我が成立するのである。かくしてBegierde, Sollen, Liebe〔欲望、当為、愛〕は一つに帰する。けだしいわば一瞬一瞬は欲望であり、欲望としての瞬間の滅するところに当為が見られ、しかして各瞬間がなお一つに統一されるところが愛であるからである。

肉体とはいかなるものであろうか。欲望の死して生まれる場所なのである。欲は肉体から起り、欲を起すものは肉体であるという。しかし肉体は単に欲望を生む面ではなくして同時に欲望の死する面である。肉体は愛によってつつまれ、愛によって消えて行くのである。しかも肉体はあくまでも残るのである。そこから欲望が生まれるのである。そして肉体がBegierde の Grund〔根底〕なのである。しかしながらいかにして欲望は生まれるか。欲望の生まれる先はわからない。それは無にして自己を限定する絶対の愛の自己限定であり、永遠の今の限定である。欲望の生まれる源は絶対の無である。神秘主義者ヤコブ・ベーメがいう様にUngrund〔無底〕が、Stille ohne Wesen〔物なき静けさ〕が、gegenstandsloser Wille〔対象なき意志〕が自己を見んとするところに生ずるのである。すべての個物的なるものの限定の根源は絶対的な意志の作用なのである。（二月六日）

＊

時が実在の形式である。実在は時の形式において考えられるのである。しかるに時は自覚において成立する。自覚的限定とは対象的限定即ち有の限定に対して限定するものなくして限定する無の限定である。即ち時は無の自己限定において成立する。時はかくして無の自己限定としての現在から決定されるのである。自覚はしかるに人格の自覚である。人格は更に自己のIdentität〔同一〕を前提する。かかる人格の自己同一はいかにして考えられるか。それは普通に考えられる様に内部知覚によって可能となるのではない。自己が自己を限定するのはむしろ欲望の形においてなのである。自我はかくてしばしば意志であるといわれる。自己実現とは欲望の満足だといわれるのである。しかし私はむしろその反対を主張する。欲望の満足は実はかえって自己の否定に帰するのである。我々の人格の根底をなすものは愛なのである。しかも愛は欲望と逆の方向に成立するものなのである。しからば愛とはいかなるものか。AとBとが完全に getrennt であって、しかもAがBにおいて自己を見る事が愛なのである。真の愛は getrennt なもの、即ち独立なものの間において成立する。それは欲望の満足ではないのである。愛とは Verbindung d. absolut Getrennten〔絶対に別々にあるものの結合〕である。A、B、C等の一々が絶対自由でいわば目的の王国を形成するところに愛が可能なのである。従って「私」が成立するためには他の人格が同時に成立していなければならない。しかして愛がその間を結合するのである。それは幾多の人格の間において見出されるばかりでなく、私の一人格の一々の瞬間の間にも成立するのである。人格の統一はかくて愛において可能なのである。

実在は時間的である。即ち我の自己限定であり、人格が人格を限定する自覚的限定であり、愛の限定である。これが最も具体的直接的な実在でありあらゆる実在の根底である。従って実在とは何かと問われればそれは更に歴史的であると言い得よう。実在するものは歴史的なのである。自然の如きものもそれが実在的と言い得るのは時間的であり、歴史的であるからである。すべては自我の限定として歴史的である。歴史的実在は時間形式において成立するのであるが、時間の根底は自我であり、アガペである。即ち無の限定が歴史を可能にし、すべての実在を可能にするのである。従って歴史的世界の

subject〔主観〕は何であるかというならば、自然的世界の subject が意識一般の如きものであるに対して、それは永遠の今であるであろう。永遠の今の限定として歴史は成立するのである。従って歴史は単に過去から未来へ行くのみではない。けだし時はどこからでも初まり、歴史はどこからでも起るからである。d. ewige Nun〔永遠の今〕は nowhere〔何処にもなく〕にして everywhere〔何処にでも〕である。

かかる歴史的限定とはいかなるものであろうか。それは身体的限定であるといえよう。身体とはいかなるものであろうか。それはギリシア人が考えたように単に生理的なものである事は出来ない。身体は行為の Organ〔器官〕でなければならない。従って身体は自我の意志によって定るのである。それは決して単に生理的目的論的なものであり得ない。身体はかならず私の身体であるか汝の身体である。意志が従って身体を決定しているのである。私の意志が私の身体を決定するのである。ここからして身体の本質が理解されなければならない。かくの如くに考えれば身体とはいかなるものであろうか。身体は矛盾した二つの性格を有している。まず身体は我の運動の Organ である。その限りにおいて身体は我である。しかし次に身体は我に対して Widerstand 反抗するものとして我ではない。即ち我の自己限定によって成立するものでありながら我に反対する Widerstand なのである。かかる事はいかにして可能であろうか。

すべて個物 Individuum は Bestimmendes〔限定するもの〕であってしかも Bestimmtes〔限定されるもの〕である。限定された極限において自己を超えかえって自己を限定し来るものなのである。限定の極限において自己を失い無に接すると共に無の限定として自己を新たに生むものなのである。かかる無の自己限定は三つの形において理解される。第一は永遠の今の無限の足踏みとして一つの点である。しかし第二にそれを横に望むれば飛躍的な点の連続として一つの線である。しかし第三にその線は同じ一つの点につつまれたものとして円環と考えられるのである。自我はかかる形式をもつ一つの個物である。即ち自我は(1)自己同一として一つの点であり、(2)時間の系列において一つの線であり、(3)しかもその線は一つにまとまる故に円環である。円環をなすところに反省の意味がある。さてかかる個物が自我なのであるが、かかる自我において、有の限定としてまとめ得る限りが内部知覚の世界なのである。しかし我は常にかかる有の限定を破って無なるものに接するのである。従ってノエマ的には我は絶えず死するのである。しかもノエシス[8]的に見れば我は絶えずその死の面から生まれ出るのである。我は死の面に触れると共に甦るのである。永遠の今は一つの面とも考えられる。けだしそれは nowhere であると共に everywhere であるからである。あるいはパスカルの神の如く周辺のない円である。そこではすべての点が中心となるのである。ハイデッガーのいう如く我は死においてVollendung〔完了〕を有つ。しかもそこからwiedergebären〔再生〕するのである。死する事によって生きるのである。この不連続の連続が我である。それは内部知覚によっては把え得べくもない。内部知覚は単に極限点(Grenzpunkt)の連続である。しかし昨日の我と今日の我とには超え難い切断がある。しかもその切断を超えて我は結合されるのである。実に肉体とはかかる切断の連続を可能にするものなのである。生理学者はそれを肉体の有つ物質としての持続(Stetigkeit)に基かしむるであろう。しかし直接に見れば肉体は表現にして同時に行為である。そして肉体はこの二つの意味を有つ事によって自我における非連続の連続を可能にするのである。無の自己限定は肉体的限定の意味を有つ。人格は肉体的なのである。しからばなぜ肉体は同時に表現と行為の意味を有つ事によってPerson〔人格〕のIdentität〔同一〕を可能にするのか。

けだし行為とはいかなるものであろうか。行為とは死する事によって生まれるものなのである。Aの限定としてあるものはBの限定に到る事によって一度死する。しかもEtwas A〔あるものA〕はAnderes B〔他のものB〕において再び自己を見出して再生する。かくの如くにA→B→Cと死してまた生まれるものが行為であって身体もまたかかる意味において行為なのである。しからば表現とは次にいかなるものであろうか。行為は死して生まれるものであるが表現は死して再び生まれないものといえよう。即ちEtwas

Aが無に帰し死した後にはたしてAがAnderes Bにおいて生まれるか、Anderes Cにおいて生まれるかがわからないものなのである。A→B→Cと移り行くものは自愛的限定であり、行為における結合である。しかし肉体は更に表現の意味を有している。即ちAはB、C、D等一群のどれに結合するかが限定されていないのである。行為は永遠の今の足踏みであり、その足踏みの一々の間に遠い距離が考えられた時に、それが表現なのである。しかして肉体とはかかる意味において表現にして且つ行為である。肉体はかくして死して生まれるものなのである。これが肉体である。かかる肉体において我の統一が見られるのである。したがって我はいかに精神的になってもなお肉体の意味をもつ。けだしアガペ(ἀγάπη)としての愛はVerbindung der absolut Getrennten〔絶対に別々のものの結合〕である。しかしてかかる永遠の今の限定がノエシス的方向に進むと共に死と反抗の意味を有つ肉体は消されて行く。けだし愛には死がなきが故である。かくて吾々は霊的(spiritual)になって行く。しかしかかる霊的な愛も、その実現は、(everywhereにしてnowhereの意味を有つ)永遠の今の瞬間的限定として、現在の一点においてなされ、自愛の意味を有している。従って吾々はむしろ自愛と他愛の区別を無意味とすべきなのである。愛とは自己を他において見るのである。従ってPersonはいかにspiritual〔精神的〕になっても、他との間にへだたりを有し、かくして肉体的な意味をとどめるのである。かかる肉体なくしては我としての人格はないのである。もっともその肉体は昇華された肉体(sublimated body)ではあろう。しかし自覚的限定はあくまで肉体的限定を含むのである。ただ自覚的限定は肉体的になればなるだけ死の方に近づくのである。永遠の今の限定において死の面が勝った時に肉体があるのである。それ故肉体は無限に消されながら、どこまでも残るのである。

存在するものはすべて歴史的である。しかして歴史的なものは身体的な限定を有している。歴史は行為と表現の二面を有つ。即ち歴史においてあるものはすべて行為であり歴史家が解釈(Auslegung)の対象とするものはすべて表現なのである。歴史はこの二面の結合である。しかしこの歴史を荷(にな)う主体(Subjekt)は到るところに在り、またいかなるところにもないところの永遠の今である。我々はあらゆる瞬間において死してまた生まれるのである。そしてその時永遠の今に触れているのである。しかしここに意味する瞬間は普通にいう瞬間ではない。それは幅のある鈍い瞬間ではなくして鋭いとがった瞬間である。それは我々が絶体絶命の際に遭遇する einzig(唯一)な瞬間の如きものである。その時吾々は世界の焦点(der Brennpunkt der Welt)に触れるのである。我々は唯一なるものであり、ケルケゴールのいう如く唯一なるものとして神に触れるのである。そこには真剣な意志の決断(Entscheidung)がある。それが事実が事実を限定するという意味である。そして肉体とは死が再生を意味する時その死と生の二つの面の結合点であり、接触点(Berührungspunkt)である。永遠の今の限定が未だ線としてあるいは円環として考えられずあくまで点の意味を有する時それが事実が事実を限定することであって、そこにあくまでも非合理的な意味があるのである。しかもかかる非合理的、事実的な個物が考えられると共に、それに対して、あくまでそれを把えんとして把え得ない Sollen としての Allgemeines〔一般者〕の世界が法則の世界として考えられるのである。ここに一般的な法則の意味を有つ Naturwelt〔自然界〕と Geisteswelt〔精神界〕とが成立する。

かくの如くに歴史的限定を考えた際、世界(Weltall)とはいかなるものであろうか。der große historische Strom〔大なる歴史の流れ〕とはいかなるものであろうか。愛の限定とは切断されたものの結合であった。従って歴史のなりたちには人格の結合としての社会が同時に考えられねばならない。Urgeschichte〔原始歴史〕は Urgesellschaft〔原始社会〕において成り、また原始社会は原始歴史において成る。歴史的限定と社会的限定とは互に離れ得ない。ここに大なる歴史の流れが見られるのである。かくの如きが歴史的限定であり、しかしてまた社会的限定は個人的限定と離れないが故に、歴史の発展においては個物と普遍との弁証法的関係が見られるのである。即ち個人は社会的となる事によって自己を否定し、社会は再び個人が生まれることによって自己を否定する。社会は個人を通じて否定され破壊され、しかし個人を通じて生み出される。ここに社会と個人のWechsel〔交代〕があり、弁証法的関係がある。かかる関係は既に生物の生と死においても見られるところなのである。

しからばSollenとはいかなるものであろうか。規範的な世界とは歴史の世界に対していかなるものであろうか。我々の自我は二つの面の接触点である。例えば主観と客観の接触点である。我々は有の一般者の限定の極、個物に達し無の自己限定に達する。その時有の限定面が対象面即ち客観であり無の側面が主観である。かく個物(individuelles Ich〔個人我〕)は、有の一般者をつつむ無の一般者においてあるが故に、我は客観に対すると共に、直ちに規範的なる超越的我の意味を有つのである。まことに永遠の今は死と生の二つの面を有し、その二面の接するところにindivid. Ich〔個人我〕がある故に、無の限定としての我は超越我たる意味を荷う。従って個人的な我は超越的な我と別なものではない。個物と一般者がはなれない様に個人我と超越我とも別ではないのである。もっともかく言っても個人我は現実的であり一般的な我は単に規範的である。個人我としてあるものは歴史的であり、超越我は非現実的なのである。しかも両者は同じ一つの限定の両面なのである。カントの超越我の如きものは生と死の二面をもつ永遠の今の自己限定において、死の面即ち非合理的なる面から生の面に移る時死の面に沿うて見らるる点の如きものなのである。しかして自我はこの死の面即ち自然界対象界に近づくだけ肉体的となり、生の面に近づくだけ愛の世界に入り spiritual となる。しかし自我はあくまで individual〔個体的〕であり肉体的であり、単に肉体的になりきった時に感性的になるのである。従って現実的な我は決して規範的ではなく迷う(irrend)所の存在である。歴史的な我は迷う我なのである。歴史的な自我は認識において常に誤るのである。しかしかく誤る我であるが故に、それに対して超越的な我、規範的な我が見られるのである。現実の我は規範に逆らうが故に、規範を負うのである。逆らう我が負う我であり得るのは、永遠の今の自己限定として生の面と死の面を有つからである。しかして生の面の方向に一般者の限定としての愛の限定があり、死の面の方向において個別的たる我は自然界に接し、迷う我といわれるのである。しかして迷う我の根底が更に深くなり、無に近よればそれは意志としての我となるのである。従って意志する我は一般的なる世界、即ち sittliche Welt〔人倫界〕に逆らうものとして radikales Böse〔根源悪〕であるのである。我は根源的に一般的なるものに逆らうものなのである。総じて現実的時間的な存在は willkürlich〔恣意的〕な freies Wesen〔自由なもの〕の世界なのである。そして当為は ideal〔理想的〕なものに止るのである。しかし時間と当為が結んで離れないのは、我が永遠の今の限定であるからである。個別的な我が存在するという事は直ちに当為の世界の存在する事なのである。叡知界の存在する事なのである。存在するものはすべて歴史的であるが故に、かえって一般者の世界永遠の価値の世界が考えられるのである。それはzeitlos〔無時間的〕であり、real〔現実〕ならぬ ideal なものであるが、現実の世界としてのの「大なる歴史の流れ」が成立する時いわば現実が死して生まれるところに見出されるものなのである。従ってまた逆にいうならば永遠の世界の底には肉体的の世界が横わっている。叡知的な存在も肉体を有するのである。刻々に生滅する肉体をつつむ一般者が叡知的なのである。しかして肉体的なものの方向にいわゆる自然界も考えられるのである。自然は leiblich-sinnlich〔肉体的 - 感性的〕であり Geist〔精神〕はその逆の方向なのである。

最後にしからばいかにして Prozess の世界は考えられるのであろうか。切断されたものの結合は愛の結合であり、それは無の限定に基くのであるがかかるものからしていかにして過程（Prozess）の世界が起り来るか。けだし無の限定は特殊が一般を限定せんとするものである。しかしてそれが欲望であり意志であるが、かく特殊が一般を限定せんとするところから Prozess が生ずるのである。ベーメのいうが如く意志は無から生ずるのである。その間の消息は神秘主義の教える如くである。しかして更にまた直観の世界、芸術の世界は種々なる限定面が互に相い覆うところから生ずるのである。

（二月十三日、京大講堂において）

実在の根柢としての人格概念

（昭和七年九月三日より三日間　信濃教育会館講堂において）

今守屋さん(1)から一寸（ちょっと）お話のあった様に三日間の話であるから簡単に近頃考えて居る私の考えの要点をお話ししようと思う。

それで我々の人格というものが実在界と考えて居るものの根本的の形であって、言葉を換えて言えば、我々の実在界というものは人格的のものである、ということをお話しようと思う。それについて、私の今いったくらいの考えは既にあるので別に珍らしい考えではない。そういうことは誰でもいうことであるが、しかし、それについて色々問題が起るのである。今私が言わんとすることは、私の実在という意味が普通の考えとは異って居ることである。人格についても普通の哲学でいうこととは異った意味を持って居る。私のいう実在ということも人格ということも普通の意味と異（ちが）う意味を持って居る。私はこの異った意味において、実在界はその根柢において人格的であるということを主張して見たいと思う。それで人格が実在の根柢であるということが、この度のお話の題である。そこで今日は、我々の考えて居る実在界はどういうものであるか、それについてお話して見たいと思う。

普通に実在界といえば、自然科学的に考えればいわゆる自然界というもので、それは物理学者のいう物質界である。もう一つの考え方はこの実在界は歴史の世界であるとするものである。それで実在界をばある人々は自然界と考え、ある人々は歴史の世界と考えて居る。多くの人は歴史の世界の根柢は物質と考えて、人間は物質から成り立つから歴史はつまり物質界の上に立って居るものと考える。それで歴史は自然界の一面として考えられることになるのである。またある人は物質は歴史の上に成り立つものとして、自然を歴史の一面として考える考え方も出来る。こういう考えは普通でないかもしれぬが、そのようにも考えられる。しかし、歴史とか自然という普通の区別をする前に、どういう意味においてもすべて実在するものは時間的である、時においてあると考えねばならない。そこで、一寸一言加えたいことは実在界を歴史と見るということは諸君に一寸わかりにくいかもしらないが、歴史を精神界というた方がわかり易いかもしらん。とにかく物が実在するということは、時間的であるということである。それが物質的に実在するにしても、精神的に実在するにしても、実在するものはすべて時間であるということをいい得る。物があるということを考えて見ると、それは何処かの場所においてあるもので、また何月何日何時何分の時においてあるものでなくてはならぬ。こういうことはカントの哲学において真先きにいうて居るところである。カントは純理批判の初めにおいて実在するものは時間空間の形式にあてはまって居なくてはならんといっている。いわゆる物質界は空間的であり時間的である。(2) 精神界は空間的とはいえないかもしらんが時間的でなくてはならん。そうすれば物質界と精神界とを問わず、すべて時においてある。即ち時間的であるということは実在するもののどうしても持たねばならん性質である。

一体、物があるということは、目に映り耳に聞えるとかいうのみでなく、働くものがなければならん。働くには時というものがなくてはならん。時間というものがすべての実在界の根本的の形式であると考えねばならん。

そこで、実在界というものの最も深い性質(という言葉はよくないが)はどういう形において組み立てられて居るかを明かにするには時というものはどういうものであるか、時の構造というものを明かにしなければならん。それで時というものは我々が実在を考える上にだいじな形式であるにも拘らず、古来この時に関しての深い研究は余り論じられて居ないと私は思う。時は色々の形で考えられるのであるが、本当の時というものは、どういうものであるかということについては充分考えられて居ない。

ずっとギリシアの昔、アリストテレスの『物理学』(3)の中に色々の時について論じて居るが、それ以来時を総括的に考えたものはすくない。カントの純理批判の初めに、時の性質を四ケ条列(なら)べて居るがこれは単にカントの時代の物理学でいうところの時の考えである。(4)そこで私は時ということについて、時の構造というものについてお話しようと思う。

一体時というものは如何にして考えられるか。時というものはどういう形を持ったものであるか。先ず我々が普通に時というものをどういう風に考えて居るか、この普通に考えられて居る時の概念から出発してみようと思う。先ず普通には時は無限の過去から無限の未来に向って流れてゆくものであると考える。時というものは無限の流れである。水の流れるが如きものである。だからして時には始まりがあるともいわれないしまた終りがあるともいわれない。カントの純理批判の中で因果の法則をのべて、色々の矛盾をあげて居るところに、時というものには、始まりがあるとも無いともいえない。それは一つの矛盾だという様なことをいうて居る。(5)これが有名な時の矛盾を論じたところである。時は無限の過去から無限の未来に流れ一瞬間といえども止まることの出来ないものである。止まれば時とはいわれない。ベルグソン(6)の有名な時の考えは、この点を非常に深くつかまえたものである。つまり時というものは、ベルグソンに由れば一瞬間も止まるものではないから我々は一瞬の過去にも帰ることは出来ない。これが時だと思うものは永遠に過ぎ去ったもので、それは時ではない。現在と意識した時には永遠の過去である。時は無限の過去から無限の未来に過ぎ去るもので、一瞬も止まるものではない。これが普通の時の考え方だろうと思う。それ故にこういう時の考え方から実在界を考えて見ると実在界は無限の過去から無限の未来に動き往き転じ往くものである。この考え方が自然科学の考え方になってゆくのである。即ち宇宙の始まりというものについて、星雲というものからこの世界が出来て来た、この星雲という様なものが無限の過去から無限の未来に向って発展してゆくものであるという様に考える。こういう考えから自然科学的の世界が成り立つと考える。これを精神界についていうても同じく無限の過去から無限の未来に移りゆくと考えられる。しかしかように考えるものも時の一面の見方に過ぎない。ただこの考えだけで時というものを考えるわけにはいかない。単に時は無限の過去から無限の未来に移り行き、従って一瞬も止まらぬもので、現在はつかむことが出来ない、つかめば現在でなくなるというならば、時は考えられぬということになる。なぜそうであるかというと、物は変じてゆくということを考えてみるとそういうことがいえる。例えば $a_0 \to a_1 \to a_2$……という様に物が変ってゆくとすれば a_0・a_1・a_2……という一々の瞬間、瞬間をつかむことは出来ないのである。これをつかめば既に過去となる。そういう風なものだと、一体連続した時というものは考えられないことになる。例えば、自分がこれが「今だ」と思った時には既に過去になる。かように絶対に過去になって消えゆくものならば一つの連鎖として昨日、今日、明日として一つの連続した時というものは考えられない。例えば一つの連続した直線という様なものを考えてみるに、直線というものは点に切ることが出来る。しかしこの点は連続して居なければならん。吾々が時を考える場合に、一瞬、一瞬が変じてゆかねばならんが、一面また時は変らないというところがなくてはならぬ。何等か前後を結びつけるものがなくてはならん。現在というものが過去になり瞬間から瞬間へと移りゆかねばならないが、ベルグソンのいう如く、移りゆく中に何等か、「つながり」とか「統一」とかというものが考えられなければ時というものが考えられない。それで時というものは変ってゆくが、ある意味において変らぬものと考えられねばならん。カントは時においてあるものは無限に変ってゆくが時そのものは変らないというて居る。吾々が時というものを考える時、時には始まりなく終りなく、無限の過去から無限の未来へと進むのであるが、そこに無限の過去と無限の未来とを結びつけるものがなくてはならぬ。そうでなければ時というものは考えられない。一体ものが変るという時には、何か変らないものがなければならん。これは余程わかりにくいことかもしれないが、物が本当に変るものばかりなら、変るということもない。

単に変るというだけでは無差別で、本当に変るということではない。こういうことは諸君が次のようなことを考えてみれば明かとなる。例えば色が変るといえば、赤が青に、白が黒に変ったということは考えられる。ところが、この色の赤がハ調の音に変ったとか、あるいはある音が青に変ったということはいえない。同じ種類のものでなければ変るということはない。全く無関係のものに変るということはない。変る時には一つの連続がなくてはならん。色がどういう色に変ったということはいえるし、また音がどういう音に変るということは考えられるが、色が音に変るということはいえないことである。全く無関係のものに変るということはいえぬ。全体が連続においてでなければいえぬ。物が変ずるというにはその根柢に変ぜぬものがなくてはならぬ。そこで時は変るというがその時というものには、変らぬものがなくてはならん。だから今いった色の例でいえば、変じゆく色をfで表わせば、

$$F\begin{cases} f_0 \\ f_1 \\ f_2 \end{cases}\downarrow \quad \cdots\cdots$$

この図の如く色はf_0 f_1 f_2と変ずるけれども変ぜぬものとしてどういうものが結びついて居るかといえば色という（大きなFで表された）ものが結びついて居るのである。そ

れと同様に時というものが変る時、何か時を連絡して居るものがなくてはならない。時というものについて、時の過去と未来とは、何かの上で互に結びついているものと考えねばならない。時は瞬間に消えるが無限の過去から無限の未来に変らないものがこの消える時を結びつけて居るのである。時の瞬間は変るが、変らぬものが考えられる。過去無限と未来無限を結びつけるものが何等かの意味で考えられねばならん。例えば時の瞬間 a_0 a_1 a_2 を過去、現在、未来とすれば、過去は過去無限に未来は未来無限にいたり、無限の過去と無限の未来とは結びついて居なくてはならん。かような時の結びつきについて、昔、私が今いうた様なことについて考えた人がある。それは基督教の初めの時代の人、アウグスチヌスである(懺悔録を書いた人である)。この人が、時について今私のいうた様なことをすでに考えた。懺悔録の十一巻のおわりの方にアウグスチヌスは、次のようなことをいうて居る。

普通に時ということを過去、現在、未来という風にいうて居るが、それはよくない。[7]時はすべて現在においてある。過去というても、現在においての過去である。現在は現在の現在で、未来は現在の未来である。時はすべて現在においてある、ということをアウグスチヌスはいうて居る。これは達見であると思う。時というものを過去から未来に流れてつかむことの出来ぬものとのみ考えただけでは時の真相はつかめない。この考えが間違って居るというのではないが、その逆を考えねばならん。時は即ち変ぜないことを考えなければ、時というものは捉えられない。さてそんならば、時は変ぜないか、変ぜないとすれば時というものはないことになる。今いうた様に、時は過去、現在、未来が何等かの意味において結びついて居なければならん。しかしそう考えて来ると時はむずかしくなる。この様な結びつきをアウグスチヌスは、現在の内にあると考えたのであるが、現在の内に過去を見、現在の内に未来を見るということになると、時はくりかえすことの出来るものと考えねばならん。そうすると、この両方即ち過去と未来との先きが何等かの形で結びついて居なければならん。普通に時は、無限の過去、無限の未来において結びつくことの出来ない直線の如きものであると考えて居るがアウグスチヌスは

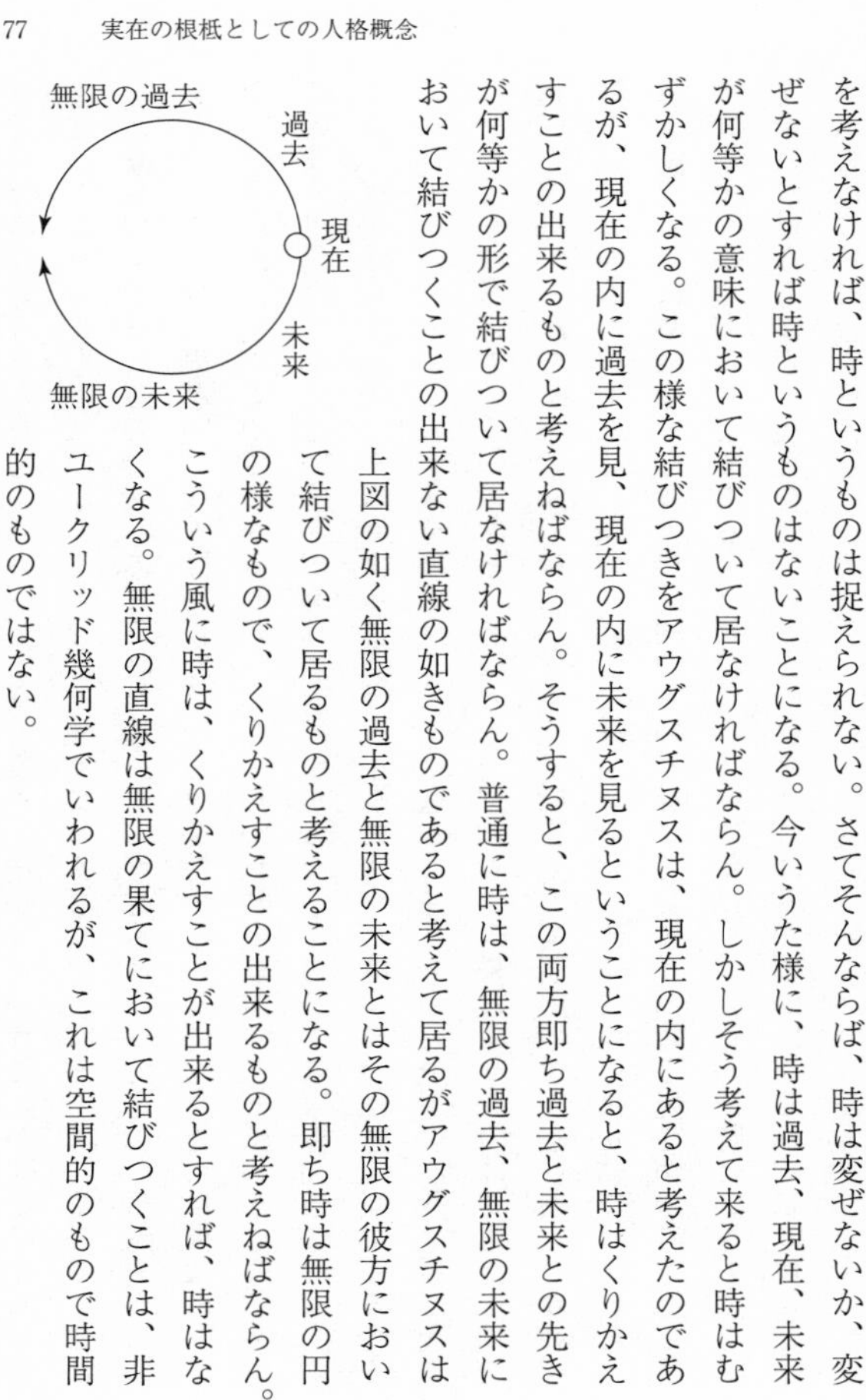

上図の如く無限の過去と無限の未来とはその無限の彼方において結びついて居るものと考えることになる。即ち時は無限の円の様なもので、くりかえすことの出来るものと考えねばならん。こういう風に時は、くりかえすことが出来るとすれば、時はなくなる。無限の直線は無限の果てにおいて結びつくことは、非ユークリッド幾何学でいわれるが、これは空間的のもので時間的のものではない。

そこで時ということを考えるには、どうして考えるか、ということが問題になる。そうするとこう考えなければならんと思う。我々にしても時は現在から考えるので、これはどうしてもそうなるのであって、これを過去から考えるというても単なる過去から時を考えることは出来ない。我々は生れた時から時を持つといっても、それ以前はわからない。それは歴史によってわかるといっても、しかし歴史以前のことはわからぬ。宇宙の始まりは星雲であるというが、それ以前はわからない。まして未来を知ることは出来ない。過去からも未来からも考えることは出来ないとすれば、やっぱり現在より考えるより外はない。いつでも現在を出発点として、過去に逆り未来を予想する。実際に我々はそのように考えているのである。無限の過去、無限の未来というものは、考えられた過去や未来であって本当の時ではない。本当に時を知って居るのは現在において現在の時を知って居るだけである。無限の過去の果てと無限の未来の果てとが結びつくと考えると、それでは時はなくなって空間的のものとなってしまう。時を現在から考えることは動かすべからざることである。それではどういう風にして現在から時というものを考えなければならんか、現在をどういうものと考えれば時が明かになるか、私は現在というものについてこう考える。

現在からの過去無限、未来無限は、現在の出発点において結びついて居ると考える。

現在として考えるその点において、無限の過去と無限の未来とが結びついて居る。現在において出発するという時、無限の果てに結びついて居る。現在として現在がきめられる時、既に過去無限と未来無限というものがそこにちゃんと含まれて居る。これは余程考えにくいいい表わし方であるが、時というものはいつでも現在において瞬間瞬間に消えて生れるものである。過去というものは絶対に過去であって、消えたならば絶対に無くなってしまうのである。即ち絶対無である、過去は絶対にゼロになるのである。

時は瞬間に消えて無くなるのであるが、次の瞬間には有となる。絶対に無いものが有、るという考え方になるのである。かく考えて始めて時は考えられる。絶対無から絶対有が生まれる。現在の瞬間が有であると考え、いくらでもつかめるというならば、時はないことになり、また、現在が絶対に無であるとするならば時はないことになる。また、時というものが何処までも有であると考えるならば、時が次の瞬間に無くなるということはおかしくなる。時というものが絶対無であるならば一瞬一瞬になくなるということにならなければならん。それで時というものは、一瞬一瞬に絶対無となると同時に有でなくてはならんのである。即ち絶対に無いものが有であるということによって時というものが考えられるのである。この意味において時は現在から考えられるのである。故に現在というものは無がまさに有であるという点である。有と無とが一つの点であるとき、これがいつでも現在である。我々の現在というものはないものであるが、しかし現在というものがなければ時は考えられない。現在において絶対に時は過去、未来を否定すると同時に、そこでまた過去、未来がきめられるのである。現在は流れの一点の様なものではないのである。現在はつかめないものではあるが有と考えれば現在はつかみ得るものになる。そこで現在は絶対にないものでなくてはならぬと同時に、アウグスチヌスの考えた様に現在がなければ時というものは考えられない、即ち有と考えなければならん。この様に、時というものは不思議の性質を持ったものである。

時は一瞬一瞬に消えると同時に、一瞬一瞬に生まれるものでなければならん。こういう風に考えると、時についての普通の考え方にしたがっては、本当の時はつかめない。それで時をアウグスチヌスのいう様に考えねばならないが、しかしアウグスチヌスの様にただ現在においてあるものだと考えたのでは一瞬一瞬に消えるものにならぬ。そこで時は一瞬一瞬に消え去ると同時に一瞬一瞬に生れるものでなくてはならん。時は無であって有であることにならなければならぬ。時は非連続であると共に非連続の連続ということになる。この様な考え方は、普通の人の考えとはよほど異った考えではあるが、これは矛盾であって、この矛盾をもとにして時というものは成立するのである。矛盾の結びつきとして時は成立するという考えになる。時は矛盾である。

時の構造を分析すると、かくの如きものでなくてはならん。時は無限の過去から無限の未来に向って流れるものであるとは、普通の人、または自然科学者に考えられて来たのである。

……a_0 → a_1 a_2……

↑過去無限　　未来無限↓

ところが面白いことには近来の物理学においては、時というものについての考えが私の考える様なものになった様である。即ちアインスタインの考えなどが私のいうような考えに近づいて来た。アインスタインの考えでは、時というものは無限の過去から無限の未来に向って流れるというニュートンの物理学でいうような一本筋の時ではないということになった。アインスタインでは誰もが一つの時を持つと考える様になったので、時の概念はその場所場所によって異なる。私は私の場所において私の時を持ち、諸君は諸君の場所で諸君の時を持つのである。時は場所において変る。これが相対性原理の時の考え方である。(8) それで時はいつでも現在から考えられねばならない。

今、時というものが現在から考えられねばならない、時とは瞬間瞬間に消えて生れる、絶対の無になって生れる、それが一瞬一瞬に起るということをお話した。我々の実在界というものは時間的なものであり、時の形式において考えられねばならぬとすれば、我々の実在界というものはそういうものとして、時の形にしたがって考えられねばならぬ。そこをよく考えて貰わねばならぬ。

無ということが有だというのはいいあらわし様のないものである。我とか、心とかいうものは、消えて消えないものである。零が何かにおいてある、例えばxの上においてあるということにおいて時の一つの方向というものが成り立つのである。どこへ行ってもよいという事になると空間的になり、これでは時というものは考えられない。時は

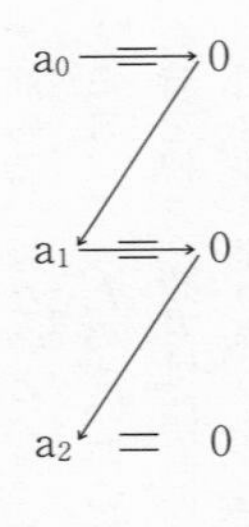

この方向にしか行かれぬのである。どこへでも行く可能性はないのである。

マルクスなどの弁証法というのも絶対の無から生れるという意味を持っていねばならぬ。

こういうことがどうして考えられるか、ということについて私の論理を申したい。専門的な話に入るが論理学上の意味をここでつけ加えてお話したいと思う。一体普通に物を考えるという事はどういう事であるか。例えば「この水はつめたい」ということは我々が水について判断したのである。我々の論理的知識の極く根本的な形は判断である。我々の知識は判断から成り立っているといってよい。A is B「この水は冷い」、「この水は赤い」、こういう判断とはどういうものかというと、判断の成り立つには、一般的なもの即ち一般概念がなければならぬ。「この水は冷い」という、「冷い」が一般概念であ

る。「赤い」といえば「赤い」は一般概念である。一般とは何か述語することの出来るものである。主語に対して述語することの出来るものが一般概念である。「私が話す」の「私」が主語、「話す」が述語で、述語は一般概念である。

そこで判断はこういう風に考えられる。「この水は冷い」という時に、「この水」が主語で、「冷い」が述語である。普通には主語を述語するのであるが、実は、逆に判断とは一般概念を特殊的に限定することによって成り立つのである。判断は一般概念がなければ成り立たぬ。「赤い」が「この花」に自分自身を限定する。述語的なるものが主語的なるものとして自分を限定するのである。私の書物でいうところの「一般者の自己限定」とはそういう事を意味するにほかならない。判断 A is B とはBがAとして自分を限定する事である。

「馬は動物である」という判断において、動物が一般とすれば馬は特殊である。その関係は次のようになる。

馬が動物の中に入るという事を論理学では包摂という。判断の形で、「馬は動物なり」という時、動物が馬の概念として自分を限定する。限定するとは、

動物＋種差＝馬

馬が動物であるというには動物の概念に種差を加えると馬となるという事である。動物という概念が馬という概念になることである。種差という、特殊化の原理、個別化の原理を加えることによって、一般が特殊となるということを意味している。一般というものがなければ、判断が成り立たぬ。判断とは一般者の自己限定であるといえる。諸君が物を考えるというには一般がなければならぬ。考えるとはその一般を何か特殊の場合として見るという事である。そうすると一般概念というものがなければならぬ。一般概念が知識のもとである。この一般概念をもとにするということは、これはプラトンのイデアというものになるであろう。プラトンは知識はすべてイデアの限定であって、イデアによって成り立つといっている。(もちろん直ちに一般とイデアとが無造作に一致するものではないが、今細かな問題に入るのではないから。)

プラトンは、赤いというのは赤というイデアを分取することによって赤であるといえる、といっている。赤であることは赤のイデアを分取することであり、熱いとは熱のイデアを分取することであり、人間とは人間というイデアを分取することである。完全無欠な人間は有りはしない。完全なるものはイデアである。人間はその一部分を分取したものである。不完全なものである。一般概念の特殊なものが知識である。すべての知識は一般者の自己限定である。プラトンの哲学(9)はその意味を最も極端に表したものである。

そうすれば知識の構造はプラトンの哲学からすべて説明出来るであろうか。

真実在とは何か。真実在は特殊なものでなければならぬ。「この花」が本当にあるので、「花」というのは頭で考えたものである。「赤」は頭で考えたもので、「この赤」「その赤」というものは個別的にちがったもので、現実的にあるものである。プラトンの考えた様なものは頭で考えたもので、本当に実在するものではない。知識は本当に在るものに一致した時に真の知識である。我々の判断の真であるということは、我々の知識で考えられたものが実在と一致することを意味している。全く同一のものは二つとないとはライプニッツの考えであった。これは本当である。どこにでもあるものは本当のものではない。本当に実在するものは個物的な、個性的なものでなければならぬ。プラトンの考えは数学にはあてはまるであろうが、実物「この花」は「その花」ではないので唯一のものであるから、実物にはあてはまらぬ。

プラトンの弟子アリストテレスはプラトンとは逆のことをいった。アリストテレスの考え[10]では個物なるものが実在し、我々の本当の知識は個物なるものの性質として成り立つ、だから丁度(ちょうど)この逆となる。プラトンの哲学では述語的なるものが主となるのであるが、アリストテレスでは主語「この花」が主である。「この花」に私の持っている考えがあてはまるかどうかによって真理がきまるのである。アリストテレスはプラトンの弟子で、プラトンの考えから出たもので、しかしまだプラトンから脱しないでいるところもあるが、上のようにプラトンを批評している。これには両方もっともな点があると思う。

両方の批評の立場に立って見ると、プラトンに対する批評としてアリストテレスは一般概念によって真理はわかるものではない、実際にあてはまるかどうかによって真理はきまるという。これはもっともなる考えである。晩年にはプラトン自身もこの点に気がついている。そんならアリストテレスのいうことが本当だろうか。それによって我々の論理の構造が明かになるであろうか。アリストテレスに従って、プラトンのいうことは不完全として捨ててよいかどうか。

我々が物を考えるというには、主語というものが述語の中に含まれるのでなければならないと普通には考える。しかし「この」という言葉は大事な言葉であるが「この」はわかったようでわからぬ。「この花」の概念を分析して見よう。いま「この」というものをここで認めるには、赤い、重い、匂う……何かの性質に由るのである。「この花」の花をAとしその性質を

A＝a＋b＋c＋……として示す。

この性質はどんなに分析していってもつきぬ。一般概念をいくら合せても「この」は出

てこない。そこでアリストテレスの言うことは矛盾に陥る。アリストテレスのいう個物がそれについて判断することが出来るものであるなら、プラトンの言う如く、何にか一般概念の中に入ってしまわねばならぬ。一般概念の中に入ると「この」ではなくなる。即ち「このもの」ではなくなり、プラトンにかえってしまってアリストテレスの意味はなくなる。そこで私のいう、時の瞬間という如きものの意味が重要であると思う。「この」という瞬間である。「この」というもの程瞬間的なものはない。「この」は一般概念で限定されるものではない。時は過去からきめられるものではない、時の瞬間は無で摑めないものである。これと同様に「この」は無で摑めないものでなければならない。「この」は摑めないもので無である。しかし無であるものが摑むことが出来ることによって、絶対の無が有であるというようなことがなければならぬ。カントの物自体は考えることは出来ないという。しかし物自体が無ければ、カントの哲学は成り立たぬ。すべて矛盾の統一によって知識が成り立つ。弁証法的統一によって知識は成り立つ。個物の知識はこういう形を持っていねばならぬ。時の矛盾はこういう考え方によって成り立っている。これだけでは十分に胸に落ちないが、この考えは我々の自己の自覚によって基礎づけられているのである。自己によって矛盾の統一は基礎づけられているのであって、矛盾の統一ということは、我々の自己によってなされるのである。であるから、このことは、自己を考えることによってわかるのである。自己の自覚という事を深く考えて見ねばならぬ。

昨日のつづきをお話します。

昨日は主に時ということについてお話した。それはどういう意味であるか。我々の実在界といっているものは時の形式にあてはまって成り立つ。すべて実在するものは時間的なもので時においてあるものである。実在の世界と考えるものは非常な大きなものであり、また色々あるが極く根本的な形を言えば、時において動いて行く、これが根本的な性質だろうと思う。それで時のことを言った場合の、時は過去から未来に流れるというのは間違いだというのではない。一面そうも考えられるがまた時は現在から考えられる。時の一瞬一瞬が絶対に消えると共に生れる。そういうものはどうして考えられるか。我々が実在を考えるということは、個物を主として考えるのであって、個物というものはそのままでは絶対に考えられない。これを時の瞬間の意味にしたがって考えるのである。瞬間とは無であるが、しかしこれがないと何も考えられないもので、これに由ってすべてが限定されるのである。即ち瞬間においてのように、絶対の無が有であるという所からはじめて個物が考えられる。

今日は自己ということについて述べてみる。それは昨日お話した時というものがどう考えられるかというと、それにはどうしても我々の自己というものを考えねば時というものは考えられない。私は昨日こういうことをいった。現在から時というものを考えることは、中世の始めにアウグスチヌスが考えた。自己と時とは離すべからざる関係を持ったものであって、自己を離れて時は考えられぬということもアウグスチヌスがいっている。どうして現在から過去、現在から未来が考えられるか。過去は過ぎ去ったもの、未来は未だ来たらざるものであるが、どうしてそれが考えられるか。現在から過去、現在から未来を考えるのに、アウグスチヌスは、我々の意識から考えたのである。記憶によって過去が考えられ、知覚によって現在が考えられ、未来は期待、予期から考えられる。

過去……記憶
現在……知覚
未来……予期

である。このように我々の心は記憶、知覚、予期の働きを持っている。その働きを持ったものが私である。私の働きが過去、現在、未来を結びつけている。記憶なくして私なく、知覚なくして私なく、予期なくして私はない。現在においてあるものが心である。

そういうことをアウグスチヌスが言っている。

そこで私はもう少し正確にいってみると、昨日こういうことをいった。時はいつも現在から考えられる。時というものはつまり過去から未来に渡る一つの流れでなく、その時その場所に考えられる。時は現在にあるのであって、それは相対性原理の時とも一致している。時は現在から考えられるのであって、現在とは自分のある所である。いつも自分というものがある所が現在である。真の自己は現在であり、例えば昨日の自分は真の自分ではない、昨日の自分は過ぎ去った自己であり、明日の自分は未だ来たらぬ自己である。真の自己は現在に現存している。時と自己とはそんな関係を持ったものである。それ故、我々は実在を考えるのに自己から考えるのである。物があるといっても、自己があることから考えられるのである。近世の始めにデカルトは「私は考える、故に我がある」といった。すべてのものは疑う事が出来る。我々は世界を夢だと疑って見ることが出来るが、もし私があるということを疑うならば疑うものが即ち、私があらねばならぬ。この事はデカルトのいったことで哲学書を読んだ人は誰でも知っていることである。アウグスチヌスもこれと同じことを中世の始めに既にいっている。

私があるということは、そこに現在があるということで、現在があるということは、そこに時が成り立っているということである。これから自己というものに入って行こうと思うが、そこで一寸一言いっておくが、私のいうことが単なる理想主義、主観主義であるというかも知れぬが、自己を中心としてすべてをきめて行くからその意味では理想主義、主観主義であるが、私のは自己から説明はするが、それは単なる主観主義、理想主義ではない。このことは自己の意味について話せばわかって来る。自己について昔からの考えと私の考えとは違っているのである。この区別をしっかりわかって貰いたい。単に自己を考えると主観主義、理想主義になるのであって、私の自己はそれとは考え方が違うのであるからそこを十分に理解して貰いたい。

そこで自己の意味を説明して行くが、わかり悪(にく)いかも知れないから、従来普通一般に考えられている自己について述べ、それを批評することによって、私の考えを明かにしたいと思う。

普通には自己をどんな風に考えているだろうか。極めて素朴な人は自己は自分の体と考えているが、それは少し考えると間違っているのは明かである。身体は自己には大切であるが身体が自己ではない。普通に考える自己は心理学的に考える自己で、そういう場合の自己とはどんなものであろうかというとこれも本当の私というものを考えていない。例えば見ること、聞くこと、物を考えること、思惟すること、感ずること、意志すること、即ち感覚、感情、意志の内容は時々刻々に変って行くものとして考えているが、しかるにもかかわらず私は続いている。「私がある」という事を意識統一としてそれを自己といっている。どうしてこれを自己というかというと、私は何となく私というものを内に感ずる、それを内部知覚といっている。昨日自分はこういうことをしたと思うと、それは他人がしたことではない自分のしたことだと感ずるのである。思惟するのでなく、直覚するのである。そういうものは我々の生きている限りずうっと続く、これを内部知覚という。そういう一つの内部知覚がなければ心というものはない。内部知覚が中心であってそれが自己である。これが一番普通の考えだと思う。そこで我々が自分で色々見たり、聞いたりすることでも、自分に属するものでも属せないものでも、内と外、主観と客観の対立というものを考えるのも内部知覚があって知られるのである。これによって内部に対して外部というものが考えられるのである。そういう内部知覚であるから、自分が自分を見る、自分が自分を直接に知る。そこで自分で自分を見るという自覚が成り立つ。そういう内部知覚的自己は即ち心理学の自己で、これは時間的な自己で時と結びついている自己である。カントはすべて実在するものは時間、空間の形式にあてはまって成立するといっている。我々の心の中に起る色々の事物は空間の形式にあてはまらぬが時間の形式にあてはまる。内部知覚的自己の変化は時間的なものである。こういう内部知覚的自己は外界と離れて内界があると考える。今言った様に、内部知覚的自己において主観客観の対立が考えられるのである。

そこでそういうものが果して自己であるか。内部知覚的のものが自己であろうか。何か直覚的に知ると考えられるものが真の自己であろうか。こういう問題を考えて見ねばならぬ。自分の心の中が外と区別される。心の中を自己として直覚的に知ることを内部知覚とこういっている。これに対してこういうことが考えられる。自分が自分を知る。これが自分だと我々に直観されるものは本当の自己ではない。内部知覚とは一体どういうものであるかと人々も言い、心理学者もよく言うが、内部知覚とはどういうものか。

内部知覚により自己を知ることが出来るものならそれは本当の自己ではない。我々の自己は知るものである。知るものが知られる。これは矛盾を含んだことで、これが我々の内部知覚である。何かによって知られなければ自己とはいえない。内部知覚については色々なことが言われている。そこで心理学者の言うことをあげて見れば、心理学者は内部知覚は有機感覚だという。身体全体の機関の運行に伴う感じだという。ヴントは、意志決定に伴う一種の感情であるという。色々の心理学の学問説明としてはそれでよいが哲学上の問題としては、我々は、我々の生活作用に伴う感じ、意志決定に伴う感情ではなく、自己はどこまでも知られたものである。ところが知られたものは自己ではない。自己は知るものでなければならぬ。自己はどこまでも知られないものでなければならぬ。

内部知覚によって自己を知るという時、これが内部知覚によって自己だといわれた時は既に自己ではなくなっている。丁度時がこれが時だといわれた時には既に時ではないと同じ関係である。

そんなら自己というものは全くわからぬものであるのか。しかし何等かの意味で自己はわかっているものでなければならぬ。デカルトは自覚を実在の根柢として考えていた。自覚がすべての根本である。自分の存在を否定してしまったら何も知ることは出来なくなる。それ程自覚は我々の知識の根本である。自己自身は矛盾を含んだものである。知られないものが知られる、知るものと知られるものが絶対に一つでなければならない。そこで、つまり時というものを考えるにも、摑まえることの出来ないものを摑まえることになる。それは我々に自覚ということがあるから出来るのである。論理の場合にいったように、つまり、この真理は個物に合するか合せないか、個物が摑めるか摑めないかによってきまるのである。これはアリストテレスがプラトンの批評をした所である。プラトンはすべて真理は一般者の自己限定とするに対し、アリストテレスは個物によって真理を考えた。個物は述語することの出来ぬものでなくてはならぬ。本当に個物はこうだ、ああだと限定することの出来ぬものである。それが摑まえられることによって知識が成り立つ。それは我々の自覚によって出来るのである。そういう風でつまり普通考えている内部知覚では自覚ということは考えられぬのは明かだ。

そんなら自覚はどういう風に考えられるか。自己は直覚によって知られるのではない。それなら本当の自己はどうして摑むことが出来るのであるか。目で見る耳できくとかいう意味で摑むことは出来ない。考えるとかいう意味で摑むことも出来ない。本当の自己は我々の行為の中に求められるのである。本当の自己は行為的自覚でなければならぬ。本当の自己は行為的自己である。我々の自己は考えられたもの、感覚的に直覚せられたもの、内部知覚的自己でなくして、行為的自己によって我々の自己は意識されるのである。我は働くものでなければならぬ。働かぬ我というものはない。心理学者がよくいう事であるが、意志に自己が伴うなどいう。ヴントは自己の意識はどういうものかというと、意志決定に伴う感情にあるという。例えば水を飲もうと思う働きに伴う感情が自己だと説明している。だが自己とは感じだといったら間違ってしまう。これは心理学的説明であって、自己は働きそのもので、働く時自己が知られるのである。我々が普通自己と考えているものは自己ではない。行為する所に自己があるのである。

考えているのは自己ではない。自分が考えても感じてもそれだけではいまだ自己ではない。ある行為をどう行うかという所に真の自己がある。事に臨んで出来る時真の自己がある。我々の普通に意識している自己は空想といってもよい。本当の自己は実践的自覚において知られるものである。例えば、少し違うけれども芸術の制作を考えて見る。自分がこういうものを作り出そうとしてもその通りのものは出はしない。こんなものを画こうとして画いても本当の絵にはならない。自分が全く忘れられて画かれた時に筆先から出たものが本当の自己である。実際の世界において働くものそれが本当の自己なのである。それで内部知覚的自己、昨日の自己と今日の自己、その瞬間瞬間において働いている自己を、一つの働きの連続とするところ、そこに本当の自己がある。行為において自己を知る。行為において自覚するのである。

行為的自覚が真の自覚であるという事はそれはどういうことか。それはこう考える。つまり我々の知ることの出来ないものが知られる。それが行為によって知られるのである。知ることの出来ないものを知るということが行為ということである。一体普通に知られないといえば絶対に知られないもの、知られるといえば絶対に知られるものと普通に考えている。しかし昨日、時と、この物、という個物についていったように本当にあるというものは、それは知られないものだという意味と同時に知られるものだという意味を持っていねばならぬ。知られないという意味からはどこまでも知られない。即ち無と考えられるものが自己を限定して来る。これは行為を通してである。行う時に自己があるある。自己は感覚的に知られるのでなく行為によって知られるのである。行為によって自己を知るとは我々に知られないものが知られるということである。

行為という事は、自分の行いであって、それは内が外になること、外が内になるという事である。自分が行為をする時自分の意志を外に表す、自分の心の中が行為となって外に表れることである。水を飲むという所に、即ち外が内になる所に水を飲む自己がある。芸術家の作品は外にあるものであるが、芸術家の自己はどこにあるか、芸術家の考えにあるか、作品そのものにあるか、その場合は外にあるものが内である。即ち作品そのものに自己がある。知られない自己が知られるというにはそれがいつも行為という形をとらねばならない。余程繰り返していう様であるがそこをよく考えて貰わねばならない。

自己は内でこれに対して外がある。自覚を基礎にして、自覚は内なるもので、それに対して外を考え、主観、客観を考えるのであるが、本当の自己は内が外であり、外が内である。行為する所に自己がある。そこでこういう事がいわれる。我々の自己は知られないものが知られる。外が内である。またこういう言葉を用いてもよい。非合理的なものが(非合理的とは我々にはどこまでもわからぬものである。自分の中にはどこまでも不可思議な何かがあると考えねばならぬ)合理的となる所に自己がある。ある意味においては自分程わからぬものはない。物はわからないというが、物はどこまでも知ることが出来る。それを無限に知ることが出来る。自己は知ることの出来ないものである。そこには知るということを超越したものがなければならぬ。知られないものだとする時自己はなくなる。また自己ほど我々に直接よく知られたものはない。そんなら自己は知られたものと考えるか。知られるものは自己ではない。またこれをこんな形でいってもよい。

我々の自己は暗い、深い愛欲というものがある。Schopenhauer〔ショーペンハウエル〕の哲学においてはすべての実在の根柢は盲目的意志だといっている。丁度仏教の無明(むみょう)ということである。ショーペンハウエル(11)のいう事には一理ある。自分の底はどこまでもわからぬものである。諸君は自分は将来何をするか、明日何をするか、次の瞬間に何をするかはわからない。そういう意味において自分の根柢はどこまでもわからぬものである。その意味において自分は盲目的な意志だといっているのである。しかしそんな意味で自己がわからぬものであるなら地震が来てこの講堂が潰れると同じで、盲目的力と同じものである。自己をそういうものだという事は出来ない。そんなら自己は知られるものかというとそうでもない。カントは自己を理性と考えた。理性が人間の本質だといっている。カントの如く理性というものがなくては人間はない。カントにも一理あるが(12)、人間がわからないものとせば、その根柢は非合理的である。わからぬものは非合理的であるが、人が理性だけになったら個性というものはなくなる。人間は個性を持つという所に私があるのである。数学の数というものは1+2=3ならいつも同じで、これが理性である。人間の本体はそういうものではない。各人が個性を持つ、自由を持つ所に自己がある。何かわからぬもの非合理的なものである。我は外から限定すると同時に内から限定するものである。そこに自覚の矛盾がある。自己の根柢にはわからないものがある。わからない所から自分がきまって来る。同時にそれが自分の内になくてはならぬ。自分は自分でありながら自分で勝手にきめるのでなく、どこまでも他から限定されるのである。自分というものは自分の肉体、環境から限定される。現在自分の体の居る環境から自分がきまって来る。私は私の体からきまる。私の体というものは、自分の自由にならぬ。一面において自由になるべきものであると共にまた自由にならぬ所に自分がある。体がなければ幽霊の様なものである。カントのいうようにいえば体というものはなくなる。カントの理性のみでは我ではない。体の生れている世界例えば、自分は日本に生れた者で周囲や過去の歴史から限定されている。我々の外だと見ているものから限定されて来る。心理学者の言うような内からのみきまって来るのではない。外と関係なしに自己がきまって来るのではない。自己の中から非

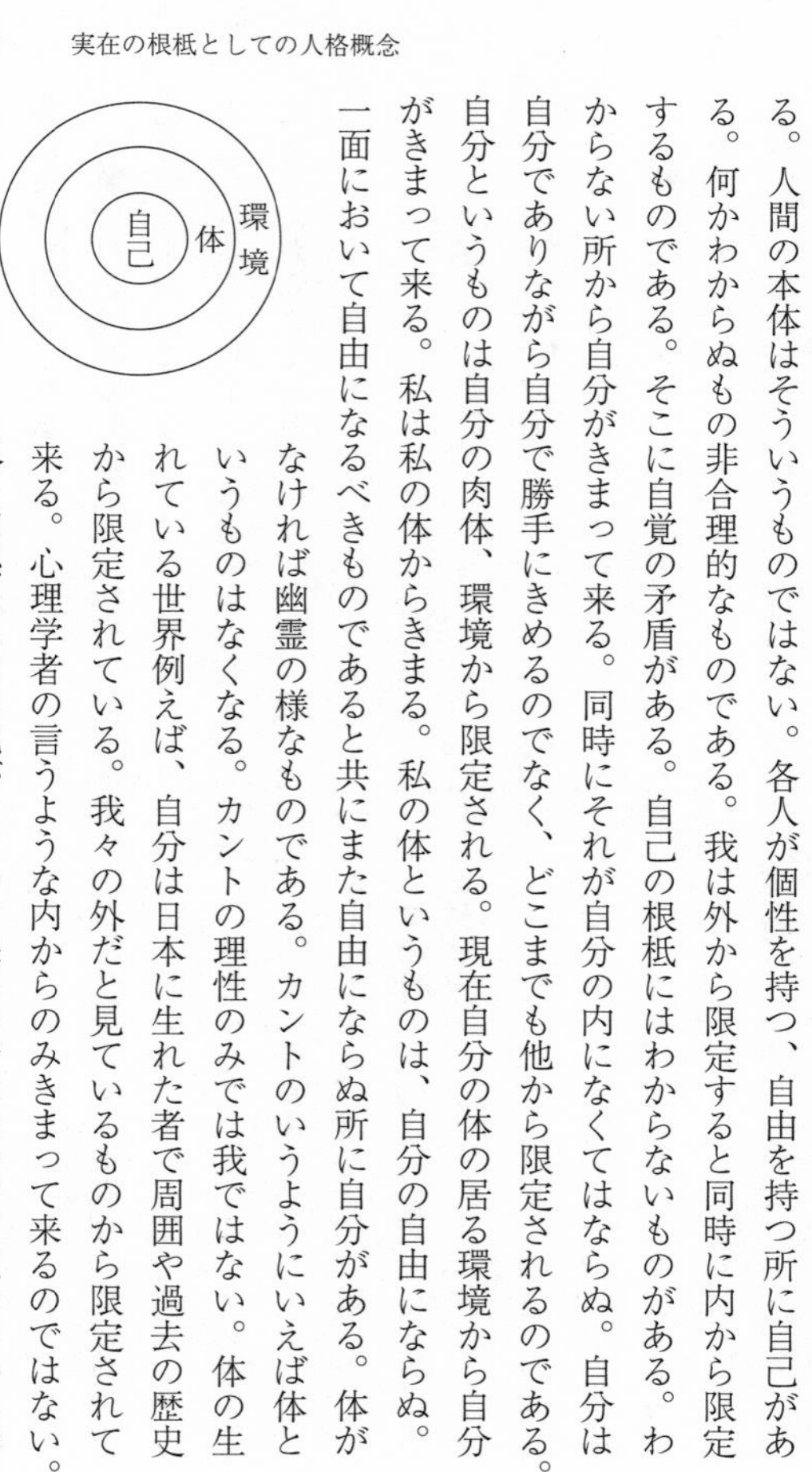

合理的なものによって束縛される。自己は空間によって限定されるのみならず、また歴史によって限定される。

それだけの意味ならば自己は物質と同じもので因果の法則によってきまって、自覚自由というものはなくなる。これと同時にこういうものがどこまでも自分であると、こう考えられるだけ自分というものは存在するのである。そこに余程わからないものがあると考えられるかも知れないが、つまり我々は自己というものから出立して見ていくと、どこまでも外なるものが内に由ると見て行くいわゆる主観主義、唯心論の立場となるのであって、これにももっともな所がある。逆にすべての外のものは自分だという風にも考えられる。唯心論者である英のバークレー[13]は外界は自分の感覚である、外があるというのも自分の知覚であるといっている。外が内に入って来る。バークレーの考えを深くしたカントの唯心論にしても純粋我の総合統一によって外を考えている。世界を自分の内に含んでいるということが考えられねば自覚ということを考えられぬ。単に内のみでは夢で、夢では真の自己ではない。外と内の結びつきが、自己の内になければならぬ。こういう矛盾の統一が自覚で、行為によって自己が摑めるのである。

今いろいろに話して混雑したかもしれぬが要点を理解してもらえばよい。

つまり、これまで自己を考えるのに、本当の生きた働く自己を考えずに何等かの意味で外に知られた自己を考えていた。それで、そうすると自己は我々の世界から離れてしまって意識だけの自己が考えられてしまう。何か摑んだ自己が中心になり、それを中心に世界が考えられる。我々はこれを意識内と考えるのであるが、輪を画いてそれを意識内と考えるから主観と客観との世界が対立してしまう。これでは真の自己ではなく、本当の自己は一方から考えると自分の底に何処までも非合理的のものを見る、どこまでも自分の中に他を見るというように、自己の内に他を見るのである。他から自分というものがどこまでも限定されるのである。これが本当の自己である。これが本当の自覚である。

行為的自覚とはどういう事かというと、自分の底に他を見る、自分の内に絶対の他を見る、他が即ち自己である。だから絶対の他において自己を見るという事である。これを離してしまって単に自己の中に他を見るといえば、理想主義、唯心論の立場になってしまう。また逆に離して絶対の他において自己を見るといえば、唯物論になってしまう。この二つがくっついているところに真の自己がある。自己において他を見る、恰度(ちょうど)逆の絶対の他において自己を見る、この二つが結びついて居なければならぬ。これが私の自己というものである。

自己において他を見る ←
他において自己を見る → ｝真の自己

これを普通には、此方(自己において他を見る)だけを考える。これは唯心論の立場で、反対に他方(他において自己を見る)だけでは、自己が無くなり物質に過ぎなくなってしまう。自己において他を見るだけでは唯心論の立場であって、この考えを極端にしてゆけばバークレーの様になって独我論になり、世界はあたかも夢の様なものになってしまう。そして結局は自己というものが無くなってしまう。世界が夢であるならば全く自己はなくなってしまう、自己でないものがあるから自己である。この矛盾の統一に真の自己がなくてはならぬのである。

絶対の自己はいわゆる個物として唯一のものでなければならぬ。自己から個物、個人、個性は離す可からざるものである。ところが個物、個人、個性の意味がやはり普通一般にはよくわかっていない。本当の我は個物、個人でなければならぬ。そういう個物は自分だけであって、他から全く離れて絶対自由のものと考えられるがそういうものではないのである。昨日お話したプラトンとアリストテレスとの個性の考えはこの点についてみてもわかるだろう。

この個物というものはどうして考えられるかというと、個物は何処までも限定されたもの、他からきめられたものでなければならぬ。例えばこのコップが(机上のコップを指す)唯一のコップであるという時、他のすべてのものとの関係においてきまってくる。この物が個物であるという時ただ単にこれが個物であるときめられない。何か物が在るというにはすべてのものの関係からきめられるのである。個物はすべての関係からして唯一のものとして決められてくる。昨日もいった様に動物から馬というものを決めてゆく時、動物というものに一つの種差を加えると馬になる。此処にある唯一の馬をきめるためには、無限の性質を加えねばならぬ。そしてその極限としてこの馬が考えられて来る。人といってもアジア人、ヨーロッパ人、日本人という様に人の性質を決めるにも無限の性質を加えねば人は決まって来ないものである。a_0 a_1 a_2 a_3……この極限として個物というものが考えられる。個物は全体から定められる。個人も全体からきめられる。個物はすべてから離れてきめられると普通には考えている。個人は何をしてもよいと普通には考えられているが、これでは個人は無いものであって、すべての関係を絶ったものは何ともきまらぬものである。個人というものと、何ともきまらぬものとを普通には混同している。例えば個人の自由とはどういうものか。個人の自由とは何でも出来るという事である。男が女になる事も出来るという様に何でも出来るというものは何でもないものである。こういうところに個人があるという事ではいけぬのであって、個人は自分、その人の現在として何処までもきまったものが個人である。しかしながら何処までもきまったものであるならば自由は無くなってしまう。自分が全体によって限定されながら全体を動かしてゆく。自分が他からきめられると共に他をきめてゆくものが自分である。此処に個人の自由がある。自分を個人であると考える、自分の中に他を見る、他において自己を見るという事は他から何処までも限定され、他を自己から限定する事である。この二つが入りくんだという事が自覚である。こういう形で

自己において他を見る ←
他において自己を見る →

個人とか個人的自由というものが考えられるのである。此処に即ち個人という事の意味があるのである。普通には此方(自己において他を見る)だけから自由を考えているが、この自己において他を見る、他において自己を見るという二つの結びつきに自由があるのである。これが自己の働きというものである。

時を考えてもこれと同じ事である。時の現在はどうして考えられるか。時が現在からきまると昨日いった、時が現在からきまるとはどういう事であるか。時が無限の過去か

ら無限の未来に流れる ↓ a_0 a_1 a_2 a_3 ↓ ものであるというのは普通の考え方である。瞬間に無限の過去から限定される。しかしまた時は現在から考えられる。此処に本当の時が考えられる。一つの時の瞬間に個物という意味をもっている。無限の過去から限定され、一度あって二度ない瞬間がある。唯一のものはこういう考えによって考えられるのである。だから本当の自己はこういう形で現わされる。我々の自己というものは上の簡単な形において現わすことが出来るのである。

　時の瞬間は個人的自己であって、自己において他を見る、他において自己を見る、この二つが結びつくところで自己が現われる。そこに働くものとしての自己を摑むことが出来る。そしてそこで自己に対する絶対の他という事を理解してもらわねばならぬ。絶対の他というのは、つまり、現在の私から考えれば私のおいてある世界が絶対の他であるのである。それは何処までも絶対の他で、空間的のもののみでなく、過去無限の歴史的の限定の中に含まれたものが絶対の他である。私があるというのは絶対の他を自分の中に見、絶対の他において自分を見ることであり、これがなくては生きた自分ではない。そうでないと自分は考えられないのである。唯物論的に考えるならば自己というものは考えられないものである。カントの立場にあっても、全く理性の法則に従うというのが自由であるという立場からは、本当の自己とか、自由とかが考えられないのである。

自己において他を見る
他において自己を見る

それであるから、これが本当の弁証法であって、弁証法は絶対に死する事において自己を見る。これが真の弁証法であって此処に弁証法が成り立つのである。ヘーゲルは「他において自己を見る」を見ずに「自己において他を見る」だけを見たものであり、また「自己において他を見る」を見ずに「他において自己を見る」だけを見るのがマルクスの弁証法である。これにはもっともな理由がある。ヘーゲルの弁証法は唯心論の立場であるからそれに対立してマルクスの様な立場が一面において考えられるのである。しかしマルクスの考え方も一面的の考え方である。弁証法の本当の意味はこの二つのものの結びつきにあると思う。自覚は真の弁証法の上に成り立つのである。

そこで、自己が全体から考えられねばならぬ。ヘーゲルでもマルクスでも全体から考えられねばならぬのである。カントは個人の自由からのみ考えている。個人は全体から離れたものではない。マルクスの立場では個人を全体から没し去ってしまう。ヘーゲルの立場においてさえ個人の自由をいい得る事は余程むずかしい。

もう一歩これをつきすすめてお話を進める。こういった自分が考えられるには、自分の中に絶対の他を見ねばならぬ。しかし自分の中に絶対の他を見るのみでは世界は空想になり、夢になり真の自己はなくなってしまう。絶対の他において自己を見、自己において他を見る、この二つの結びつきに本当の自己がある。絶対の他とはどんな風のものか。絶対の他の意味をもう一歩突込んで考えねばならぬ。そうすると今述べた様に外が内であり、内が外である。自分が他であり、他が自分であるという矛盾の統一が真の自己である。私は前に行為的自己が真の自己であるといったがもう一歩考えをすすめねばならぬ。行為的自己のみで自己が尽くせるかというと、それには更に人格というものを加えねばならぬ。単に行為だけの考えではいまだ自己の全体とはいえない。自己は人格的自己である。真の自己は人格である。行為と人格とは直ぐ一つではない。そこに少しちがいがある。他を自己となし、自己を他となす事は行為であって、それでよいがそれだけでは人格が説明出来ない。自己は人格である。

人格とはどういう事か、人格の意味に入らねばならぬ。人格という考えは古来から色々の人がいっている。人格の考えは早くからキリスト教でいっているが、古い学者の考え方を引例するよりは諸君の知っているカントの人格についていっている事を考えて見度い。カントの考えは人格をよく現わしている。実践理性批判の中(うち)有名な考えがある。人格を考えるのにカントの倫理学の中では、人格と手段とを区分している。道徳の法則は人格を手段としてはいけぬという事である。人格は目的そのものである。他人を自己の欲望の手段に用うるのが悪であって、人格をどこまでも人格として見るというのがカントの根本の考えである。此処で他人を人格として認める事が自己を人格として見る事になる。自己の人格を見る事は他人の人格を人格として見る事である。これがカントのいった不滅の真理で、目的の王国は人格と人格との結びつきである。私が私として人格となるには、汝を汝として人格として認めねばならぬ。私が私となるためには汝を汝として認めねばならぬ。これは社会的の関係を現わしたものであって、汝を人格として見る事は私が人格となる事である。カントのこの考えはよい考えであると思う。今いった事は私と汝との社会的関係についていった事であるが、私について考えてみてもそうである。自分というものだけについて考えて見ても、昨日の私と今日の私とが結びつく時、どんな風に結びつくかというと、ただ普通の人の考え方では肉体によって結びつくと考える。脳髄が生きているのである。昨日考えた事が脳髄に痕跡として残っている。その痕跡が一つの結びつきをして昨日の私と今日の私とが結びつくと考えられている。しかしこの脳髄によって結びつくという事は、哲学的には許されぬものであって、唯物論の立場から十九世紀のなかば頃にこのように考えたものもあったが今は考えられていない。結びつきは脳髄にあるのではなくて他のものに由って結びつくのである。

現在の私は絶対の自由であり、昨日の私は昨日において絶対の自由であると考えられたものであり、明日の私は明日において絶対自由であると考えられる。だから昨日の行為に対して絶対の責任をもつのである。今日は今日の行為については絶対の責任をもつが昨日なした行為については責任が無いというならばそれは自由ではない。今日は今日、明日は明日というところに絶対の自由をもたねばならぬ。過去は悪くとも今日は善い事が出来るのであるというように、過去を改めるという自由の精神がある。だからして昨日、今日、明日と絶対の自由をもたねばならぬ。因果的に結びついたものであっては、本当の人格というものは考えられない。昨日、今日と一つ一つの瞬間に結びついているところに人格があり、かくて昨日の私に対して今日の私にとっては汝という意味がなければならぬ。絶対の自由において本当の自分が考えられる。カントが社会的にいった事は個人にうつしてもいえるのである。絶対の他において自己を見る、自己において絶対の他を見る、自己は汝という意味をもたねばならぬ。他が汝という意味をもたねばならぬ。

昨日お話した事は、我々の自己についてお話したのである。自己というものはどういうものか。普通に心理学的にいえば意識の統一と考えられる。意識の統一、即ち自己とは一つの統一した自己として見られる。それには内部知覚という様な内的な感覚という様なものが考えられる。これに由って自己は直覚されると普通には考えられている。しかしそういう風で我々の真の自覚は説明出来るものではない。そういう風に内部知覚によって知られるものは真の自己ではないのである。

自己というものはどういうものか。真の自己は行為的自己、行為的自覚であって、行為するところに真の自己がある。我々の意識の統一に自己があるのではなくて、行為するところに真の自己があるのである。行為とはどういう事か。内から考えれば自己を外界に実現する事であって、逆にこれをいえば外界に自己を見る事である。そういうところに本当の自己が見られるのである。それを昨日いった様に簡単にいい現わせば、一方からいえば我々の自己の中に他を見る、何処までも自分の中に絶対の他を見る事である。意識的自己は見られるものである。意識の中に意識される自己は本当のものではない。真の自己は自己によっては見られぬもので、内に絶対の他を含むものでなければならぬ。絶対の他を見るという事は絶対の他において自己を見る事である。我々の真の自己というものはこういうものでなければならぬ。矛盾の統一として弁証法的な形をしたものである。

それから、昨日の終りに一寸いった事は、ただ行為的ということだけでは真の自己をいい現わすには十分ではないということであった。我々の自己は人格的、パーソナルでなければならぬ。行為的自己は人格でなければならない。真の行為の意味には人格的という事を加えねばならぬ。そうすると自己をどういい現わさねばならぬかというと、自分の中に絶対の他を見、絶対の他の中に自己を見るということになる。単に絶対の他といったのみでは十分ではない、他なるものを自己の中に見るのである。そしてこの他の中に自己を見るという事は物質についてはどうしてもそういう事はいわれない、この他は常に汝という意味をもたねばならぬ。人格という事は、カントの様に、他人の人格を認める事によって我の人格を認める、私が汝の人格を認める事によって私となるのである。他と考えられるものは、何時でも汝という意味をもたねばならぬ。そういう風な事を付け加うる事により、真の自覚というものをいい現わす事が出来る。即ち、他という場合の他者は汝という意味をもつものである。つめていえば、私において汝を見、汝において私を見る。これが真の愛である。普通の考えでは我々の人格が成り立つ根本条件として愛が考えられていないのである。例えば人格に対して義務という事がカントにおいては人格の成立のための必要の条件となっているといえる。そこには愛が根本的の条件とは考えられていないが私はそう考えねばならぬと思うのである。

話は少し横道になる。こういう事もいっておき度い。愛という事は我々の欲求、欲望とはちがった事である。普通には自己の欲求を満足する事が自分を愛する事であると考えるがこれはちがっている。欲求は暗いものから起って来る。私のさっきの言葉でいえば他から起るものである。自己の中に他を見るという事が自覚の成り立つ根本の条件である。他を見ねばならぬといったが、こういう事が欲求の中にある。欲求は内にある暗いものから起るもので自分ではどうする事も出来ない。かえって自分を否定するものである。自分において他を見るという事はどうなるかというと、先ず欲求という形をもってくる。しかしこれだけでは真の自己というものではない。この証拠には欲求にのみ従う時は、遂には自己は否定される。肉体にのみ従う時は人格を否定する事になる。逆に自己を全く否定して即ち欲求を否定したところにかえって本当の自己が見られる。つまり全くこの自己の中でなく他において自己を見る、自己の中にあるものをすっかり否定して絶対の他、汝において自己を見るといった時、真の自己が考えられるものである。自己を欲求的自己として見れば、それを否定するところにかえって本当の自己を見ることになるので、絶対の他において自己を見る、これが真の愛である。他人において自己を見るのが愛であって、この時にこそ真の自己を見るのである。義務という事は自己を絶対の他において見るところに考えられる。義務は絶対の愛を根柢として始めて考えられるのである。我々の人格の根柢は愛というものである。愛は普通にいう愛という事ではなくて絶対の他において見られる愛でなければならぬ。真のキリスト教の愛はこういう意味のものである。

そこでもとにもどって、私において汝を見、汝において私を見るという事が我々の人格の構成である。人格はこういう形で組み立てられている。これはどういう風になるかというに、つまり一つ一つのものが独立自由である事がかえってすべてのものが結びつく事になる。私と汝というものは絶対に対立したものでなければならぬ。我々は普通には物を自己に対立したものと考えている。よく考えて見ると物は我々の中にあるものであると考える事が出来る。唯心論の立場から物は内界にあるという観念論が成り立つ事がこれを証明している。物質は感覚の結合である。物理学の経験界というのは自然の法則に由って支配されるもので、自然の法則とはカントの立場からいえば自我の総合統一に由るものである。世界は自我の立法に由り成立するという。これでは汝が私であるという事はいえない。これでは汝というものと私とは離れた独立のものとなる。私と汝との関係は独立のものとなる。しかし私が私となるためには汝が汝である事を私は認めねばならぬ。互に人格の独立を認めねば私が私とはなれない。自我を拡めると世界全体を自我の中に含める事が出来る。自然も自我の中に含まれる。自然の総合統一にまで自我概念を拡げる事が出来る。しかし汝には拡げる事は出来ない。汝は私にとって絶対のものである。そこにおいては絶縁されたものの一つ一つが絶対の他であると考えられる。それだけで自我が成り立つかというとこれだけでは成り立たない。自我は絶対の他に対立するのでなく、それと結びつくことに由って成り立つのである。こういう結びつきによって一つの人格が生ずるのである。人格の統一はこういう形で成り立つ。人格は社会的意味をもっている。汝において我を見、我において汝を見るという時、これを絶対の他の愛というならばこの社会は愛に依って構成されるといってもよいのである。

実在は時の形式に当てはまっているものである。内界と外界とを問わず時が実在の範疇である。時というものは前にもいったように単に連続とは考えられないものである。一瞬一瞬に消えて生れるものでなければならぬ。時は絶対に独立であると同時に自己を否定する、現在から現在へと瞬間瞬間にうつるものである。時はこういう風に構成されている。時の構造はこういうものである。時はこういうものであるという事がわかったとすれば、絶対に独立しているものがどうして結びつく事が出来るか。これは今此処で初めて明かにする事が出来る。

人格の結合においてこのことが明かになる。人格は互に絶対に独立であるが、それ故にかえって結びつく事でなければならぬ。この矛盾の統一、それは人格の体験において証明される。真の時というものは人格であるといってよい。抽象的の時は考えられたもので、そこにカントのいう様な形式的な時というものが考えられるであろう。けれども実在の時は各々の人格にくっついたものである。各人が各人の時をもつ。そういうものの結びつきが人格的統一とか社会的統一とかいうもので、これからすべての人格の統一が考えられるのである。本当の時というものは各人がもつ。これは相対性原理において、場所がちがえば時がちがうというのと同じ事である。我々の実在界は時において成り立つ。その根柢を考えてゆけばこのようなことになるのである。この世界というものは、その根柢において人格であるといい得る。そこでこのように考えてゆけばどういう事になるか。

すべてのものを具体的に考えると、すべてのものは我と汝との関係に由って成り立ち、基礎付けられているといってもよい。それでそうなると、第一我々の世界というものの根柢について上のように考えるならば、世界は互に表現的であるといわねばならない。今の哲学で表現という事がいわれるが(例えば現象学でいっているように)それならば我と汝とはどうして結びつく事が出来るか。互に独立なるものがどうして結びつくか。私と汝との関係の仕方、これを明かにするには此処に表現という事をいわねばならぬ。私が他人の表現を理解する事に由り、他人が私を理解することに由り、即ち互の表現の理解という事に由りて理解されねばならぬ。

元来物と物との関係は運動の法則に由って支配されている。この物とこの物との関係は物理の法則の中において互に限定されているものである。ところが私と汝、私と絶対他なるものとが結びつくという場合にもこのような法則で結びつくといえばそれはもはや人格ではなくなってしまう。人格と人格との結びつきは表現的でなければならぬ。したがって人格と人格の結びついている世界は表現の世界といわねばならぬ。こういうもの(机上の水飲みを指して)を物質であると考える前に直接に我々に現われるものは自分自身を表現するものでなければならぬ。人はいろいろの形式にしたがってこれを物質であると考えるのであるが、すべて表現という意味をもっていねばならぬ。人格の世界では人格は表現の意味をもったものでなければならぬ。この花(机上の花を指す)でも表現という意味をもたねばならぬ。実在の根柢が人格的であるという意味をもたねばならぬ。

そこでこういう風に考えてよかろう。我々が自己において絶対の他を見、絶対の他において自己を見る、絶対に独立しているもの互の結びつき、非連続の連続、を考うるには表現という事がそこへ入って来ねばならぬ。互に独立した二つのものの結合関係は互に表現的に考えられねばならぬ。

私と汝とが対立する時表現の立場となる。汝が絶対の他として私に対立する時表現という事になる。AとBとが絶対に離れたものでありながら、しかも時の関係において結びつくという事が表現である。此処に愛という事がある。離れたものが一つでなければならぬという時それは愛である。この物になるという時この物は表現の意味をもっている。この物は私に愛をもつという事が表現的である。それが弁証法である。絶対の他としての対立関係においては表現であり、一つのものとしての関係においては愛である。我々に最も直接であり、最も具体的のものはこの様な世界である。弁証法と愛と表現とは互に結びついたものである。私が何十年か以前に『善の研究』という書物を書いた時純粋経験という事をいった。純粋経験という事は、心理学の内的経験という意味であって今の私の考えからすれば不充分であるが、その考えを推し進めたものが今述べた非連続の連続、絶対の他の結合の考えになったと考えてもらってよい。

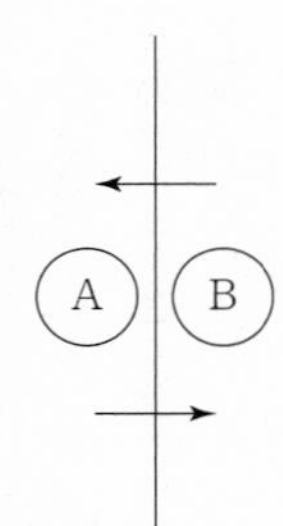

これが歴史的実在の形であるといってもよい。我々の歴史的実在が具体的の実在であると考えてよい。普通にいう歴史という考えでは私の考えを充分いい表わせない。実在は歴史であるといってもよいが、普通の人の歴史という事と私のいう歴史という事とは意味がちがうので誤解され易いから此処では用いないが、歴史的という事が真の実在の形であるといってよいと思う。それでこの世界というものは今いった様に絶対の他が結

びつく、それが人格的関係というものである。この結びつき方に由り世界は構成されているといってよい。そこでこういう考え方に宗教的意味を結びつけて神というものがどうして考えられるか。これは上に述べたような型によって考えられるのである。私なら私という個人に私だけの人格的統一を考えて見る。個人の人格は一つの内部知覚に由って内的に結びついているものであるという風に考えられるが、これではなく、個人的人格が考えられるには、いちいちの瞬間が独立であると同時にこれが一つ一つ人格において結びついている。その時々に絶対の自由をもっていながら一つの人格に結びついているのである。この統一として私というものが考えられるとすればこのような私と汝とを統一した私が神の人格として考えられるのである。

私というものは何処にあるのか。自己というものは一歩一歩の私に外ならないのであって、この自己の底において自己の全体は絶対というものに触れるのである。自己は外にあって自己の向うに見られるものではない。即ち対象的に自己が考えられるのでなくて、自己の一歩一歩において消えて生れるところに自己があるのである。現象学的の言葉をもって来ればノエマ的ではなくノエシス的に自己が見られるといってもよい。人格が考えられるためには何時でも非連続の連続の結びつき方があって自己が考えられるのである。私の個人が考えられるには世界全体が一つの人格的統一に由って成り立っていると考えねばならぬ。そうでないと我々の個人的自己は考えられないのである。個人的自己はその人格においてすべてを含んだものである。人格はかようにして歴史というものに現われてくる。それでは歴史というものはどういうものであるか。

普通に歴史というものはどう考えられているか。歴史という事をつきつめて考えてはいないと思う。普通に歴史という考えは例えばこう考えられるであろう。人類の歴史とか、宇宙の歴史とかいう場合について、宇宙の歴史といえば宇宙がどうして出来たかまたどうなって来たか、宇宙の始めから考えねばならぬ。天文学の一部でこのことを考える。そこに色々の説があるようである。古くはカント・ラプラスの発生説がある。今日ではそれとは余程ちがった説も出来て来ている。しかし地球が何時出来、また生物が何時頃出来たものか、生物が出来ても人間の歴史があるとは考えられない。人間の出来たのは極く新らしい事であって、人間が出来てもすぐに歴史があるわけではない。色々の記録があってはじめて歴史が出来る。歴史がどうして成り立っているかというと、初めは物質から成り立って来たと考えられている。これが普通歴史の考え方である。しかしこれでは自然というものに影響されて人類が発達して来たと考えられてしまう。しかるにこれもやはりその逆が考えられると思う。いわゆる人間を中心にして考えている。時は現在から考えられるという様に現在から歴史を考える事が出来る。人間を中心とすれば現在から出立して考えるという考え方も出来る。歴史の考え方は過去から考えて見る事も出来るが真の歴史は主観が客観の中に動いているもので、主観が客観を限定し客観が主観を限定してゆく現在の立場から考えられるのである。

自然科学から人間が考えられるが、人間が自然科学を考えるという考え方からも歴史を考えられる。他において自己を見、自己において他を見るという関係から歴史が考えられる。即ち人格において歴史が考えられるのである。過去から現在が考えられ逆に現在から過去が考えられる。歴史においても逆に内が外、外が内の関係で考えられる。普通の様に考えれば自然から歴史は生れる。しかしこれでは本当の歴史でなくなり唯物論になってしまう。真の歴史は人格から考えなければならぬ。こういう風に考えられた歴史的なるものが真の実在の形であると思う。この意味で実在するものは歴史的のものであるといってよかろう。歴史は客観から主観を限定し、主観から客観を限定する、内が外を限定し、外が内を限定する事を歴史と考うれば、実在は人格の意味をもち歴史的であるという事が出来る。そしてその内容は表現であり、時間的のものであり、弁証法的のものであるという事が出来る。いい換えて見れば、非連続の連続、人格的統一、社会的統一として、言葉はちがうがこれらの意味を含めて考えてもらえばよいのである。

実在は歴史的である。我々の自己はそういうもので成り立っている。歴史的の限定として私も汝もあるのである。そういう世界が事実の世界で、事実を考えるにはこの型に当てはめて見なければならぬ。直接に自己の内容を見る事が事実の世界というものである。直接に見るとは事実が事実を限定する事である。直接に各人が各人の内容を見る事が事実である。自己と自己との存在の関係が愛であり、自己と他との否定し合う事により結合するところに我と汝との弁証法がある。私という実在の根柢が人格であるというのは、絶対に離れたものの結びつきにおいて人格があり、歴史において人格があると考えるのである。

今までお話した事で大体主な事はお話した。つまりどういう風に我々の社会の動きを考えてよいかというと、我々は一つの人格としてその背後には常に絶対の非連続をもっている。ここに人格の根柢がある。即ち非連続の連続としての歴史というものにおいて人格が成り立っている。歴史を構成している要素が人格である。歴史がどう向いてゆくかという事は個人の人格の構造と同じ様に考えられるのである。個人は一歩一歩絶対自由である。

そして個人は絶対の独立として結びついている。非連続の連続として結びついている。時という形で結びついているのである。これがどうして動いてゆくだろうか。それは我々の考えている時の形で動いてゆく。何となればこのものがもし時間的でなく空間的の関係に結びつけられていると考えると互に独立のものとはいえなくなるからである。互に独立のものが結びつくとは一つ一つが独立であり、したがって絶対に否定をしながら生れ出るのである。絶対否定の肯定として生れるものは時である。時の形で全体が動いてゆくと考えられねばならぬ。我々の個人は時間的に動いてゆくと考えられるのである。自分というものは生れてから死ぬまで時間的に考えられるものである。如何にしても過去へは帰える事は出来ないものであって、したがって一度的に動いてゆくのである。それ故に全体の連続がなければ時は考えられないものである。そういうものを考える時に、過去から未来へ向って一度的に動いてゆくという時を考えねばならぬのである。個人のみの一人の自己は有り得ないものである。私と汝という関係で非連続の連続として人格的となり、それを神の人格として考えてもよいのである。真の統一が神の人格である。この統一がどういう風に動くかというと歴史の形となって動いてゆくのである。我々は歴史の上に生れ歴史の上に死んでゆく。我々の生命というものはそういうものでなければならぬ。非連続の連続が人格の生命であり歴史の生命である。そういう風な考えになるのである。

我々が生れる時には一つの社会に生れる。社会を人格と考うればその人格の中に生れるのである。我々は社会に生れ社会に死するのである。考えられた自己は抽象的の自己であって、自己は何処までも社会に生れるのであるが、単に我々が社会的のものになる事は自己が自己でなくなる事である。自己は社会に生れると共に社会を超えるという意味をもっていねばならぬ。社会から独立して社会を超えるという自由の意味をもっていねばならぬ。そこに個人の自由があるのである。社会に生れ社会的になるという事は、自己が死ぬる意味をもっていねばならぬ。社会から考える個人が社会を超えるという事は社会が発展してゆく事である。社会と自己とはそんな関係をもっているものである。社会は人格的の意味をもっていねばならぬ。社会は単なる個人の集りではない。自己というものは時間的に一歩一歩変ってゆくが、自己は人格的に結びついていねばならぬ。社会が人格であるとするとその何処かに中心をもっていねばならぬのである。社会は一つの焦点をもっている。これが私についていえば私の人格の中心であって、この焦点に由って社会が新たに作られてゆくものである。かような社会の中心となり焦点となるものは偉人である。社会はこの中心をとおして動いてゆくものである。社会は個人の単なる集りではなくして人格的の意味をもっているものである。社会が向いてゆく先には個人がなくてはならぬ。個人のそういう力をとおして社会が動いてゆく。私の人格が向いてゆく時にも、どこか私の人格のモメントの一つが全人格を負ってこの一点が中心となって動いてゆくのである。社会の動きもそんな意味をもったものであろうと思うのである。

そこで、今日マルキシズムが思想界の問題となっているが、私のいった事とマルクスの考えとがどういう風な関係にあるかを終りに話してみよう。マルキシズムというものがどうして起ったか、ということについてはいろいろと社会上の意味もあるが、私は哲学の上で、どういう点がもっともな点であり、またどういう点が誤った点であるかを少しく話してみる事にする。

マルクスの考えはヘーゲルに基づいて起っている。ヘーゲルの哲学は弁証法であって、その立場は唯心論的であり、理想主義的である。このヘーゲルの弁証法がフォイエルバッハに結びついて唯物論的に考えられた。マルクスはヘーゲルの精神に基礎をおかずに物質に基礎をおいたのである。マルクスがヘーゲルの弁証法を逆に考えた事はヘーゲル哲学に欠点があったからである。私の考えからいうと、ヘーゲルは私の自己において他を見るという立場から見ているのであるが唯心論の立場を脱してはいない。しかし彼の考えはただの唯心論ではなくて絶対の他というものに触れている。一寸いうと何でもないようではあるがこれは非常な考え方の相異である。

ヘーゲルの弁証法は自己において他を見る方面だけを考えている。これだけでは唯心論であって、絶対の他にはぶつかってはいるが結局そこからまた帰ってくることになるのであって、他において自己を見るまでには至っていない。それでは真の弁証法になり得ないのである。真の弁証法は絶対の死に依って生きるということ、即ち絶対の否定が絶対の肯定であることを意味する。これが本当の弁証法である。それ故にヘーゲルの哲学は単なる主観主義である様な批難をうけて来た。マルクスの弁証法はヘーゲルの逆を(絶対の他において自己を見る)ゆこうとしたものといえる。しかしマルクスの立場では全く唯物論になり、これだけではまた逆に自己において他を見るという方面には往けないのである。

マルクス学派では物質から精神へ出るのであるというが、私にはそうは思われない。マルクスの立場は唯物弁証法であって、ヘーゲルの弁証法は精神の弁証法である。マルクスのいう物質がもし精神に出ずる事が出来るならばそれはもはや物質ではなくなる。マルクスはどこまでも物質からゆこうとするのである。こちら(精神)に出ねばならぬのである。マルクスはヘーゲルの逆をいったもので物質から精神が出てくるのだというがそういう意味では精神は出て来ない。マルクス学派の人達は物質から精神が出るとただ口だけでいっているのであって真の弁証法ではないのである。そこにヘーゲルの弁証法とマルクスの弁証法との異った立場があって、私からいえばどちらも真の弁証法ではないのである。

私の弁証法は 自己において他を見る 他において自己を見る の形でなければならぬので、どこまでも弁証法の本体は人格的のものでなければならぬ。我々は自己を考えるに、個体的自己を主として考えている。個体の集りとしての自己を考えている。従来はこういう風な考え方が多かった。そこで我々はマルクスのよい点も認めねばならぬ。何事についてもよい点とわるい点とを明かにせねばならぬ。我々は自己を考えるのに今までは、個人的自己のみを中心にして考えてゆくものが多かった。社会的という事を考えているものは極く少なかった。しかるにマルクスは社会を中心にして個人を考えた。個人の意識は社会を中心とする事から出てくるとマルクスは考えた。このマルクスの考え方は社会を中心にしている。個人を階級的に考えている。これがマルクスの考え方であって、此処にはヘーゲルの欠点に対して批評的な考えがあると思う。絶対の他において自己を見るという点がなくてはならぬという事からして、マルクスの考え方にも一理はあると考えてよい。しかしマルクスはヘーゲルの弁証法に対して物質に基礎をおき個人を全く社会の反映として考えてゆこうとしている。従って社会とか階級とかを一方的にのみ考えて全く個人を否定してしまっている。これであっては社会は動かぬものとなってしまうのである。しかるに個人の創造個人の自由からして社会は動かされてゆくものである。此処に社会

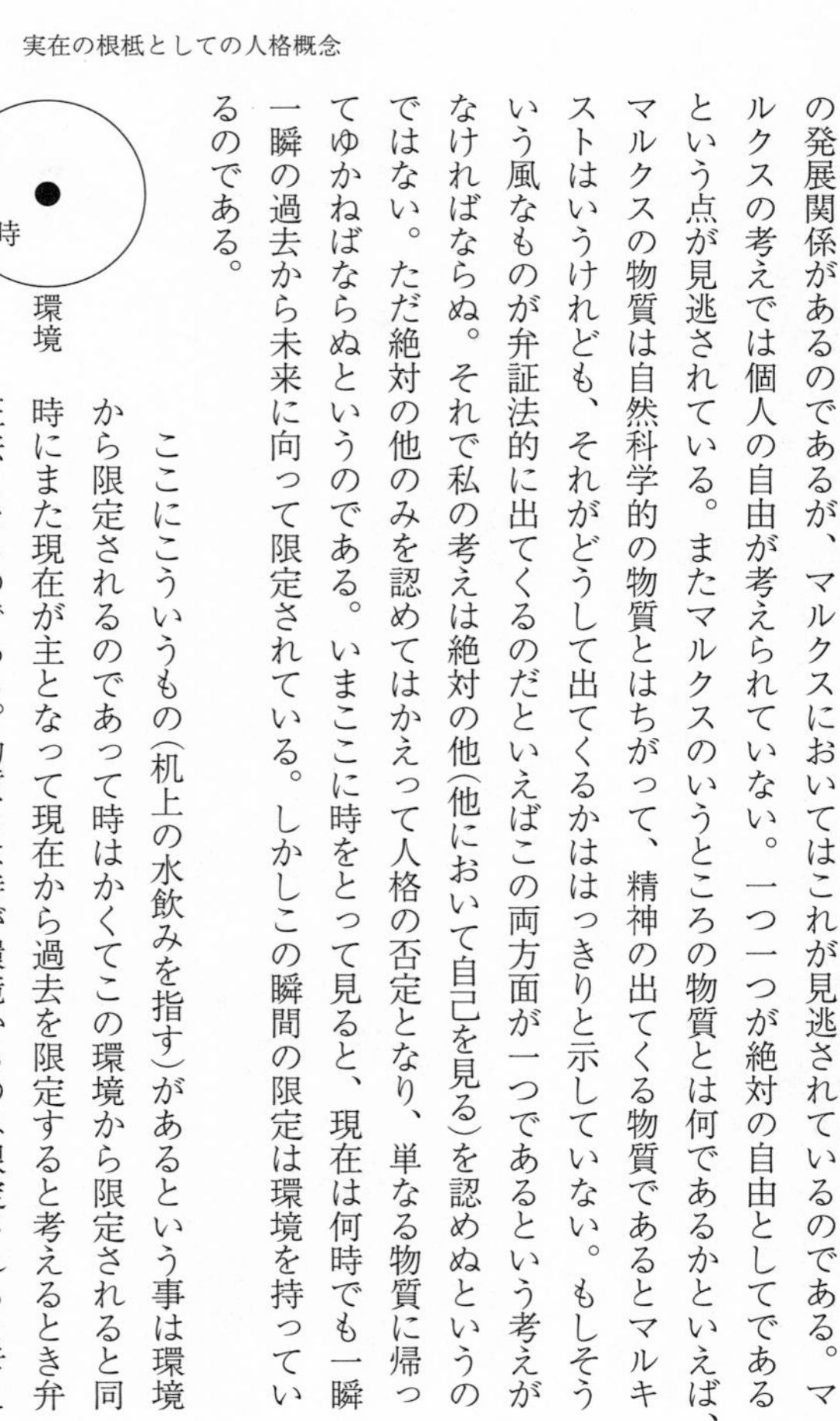

の発展関係があるのであるが、マルクスにおいてはこれが見逃されているのである。マルクスの考えでは個人の自由が考えられていない。一つ一つが絶対の自由としてであるという点が見逃されている。またマルクスのいうところの物質とは何であるかといえば、マルクスの物質は自然科学的の物質とはちがって、精神の出てくる物質であるとマルキストはいうけれども、それがどうして出てくるかははっきりと示していない。もしそういう風なものが弁証法的に出てくるのだといえばこの両方面が一つであるという考えがなければならぬ。それで私の考えは絶対の他(他において自己を見る)を認めぬというのではない。ただ絶対の他のみを認めてはかえって人格の否定となり、単なる物質に帰ってゆかねばならぬというのである。いまここに時をとって見ると、現在は何時でも一瞬一瞬の過去から未来に向って限定されている。しかしこの瞬間の限定は環境を持っているのである。

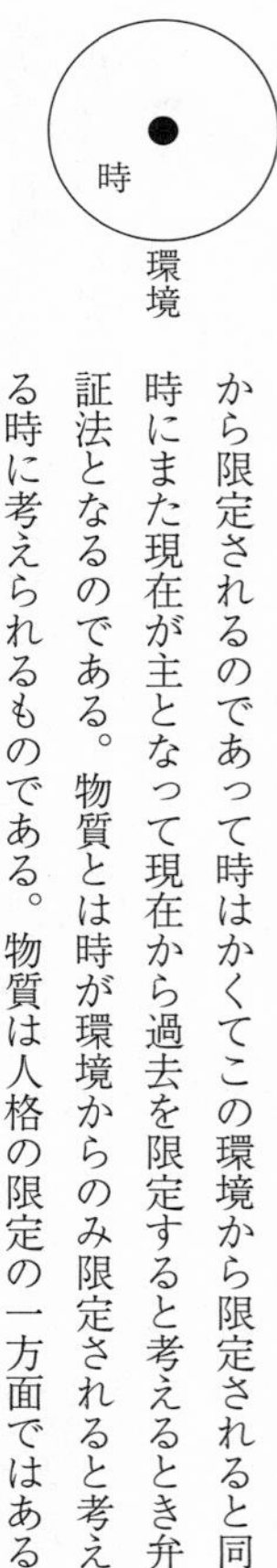

ここにこういうもの(机上の水飲みを指す)があるという事は環境から限定されるのであって時はかくてこの環境から限定されると同時にまた現在が主となって現在から過去を限定すると考えるとき弁証法となるのである。物質とは時が環境からのみ限定されると考える時に考えられるものである。物質は人格の限定の一方面ではある

が人格は物質界だけからの限定ではない。人格は肉体から限定されるのではない。人格の成り立つ実在界はそういうものではないのである。

現実の世界の論理的構造

（昭和十年一月七日より九日に至る三日間　京都府教育会館において）

ただ今から私の考えをお話します。私のお話するのは昨年の暮に出した書物（哲学の根本問題続編）の中に「弁証法的一般者としての世界」という論文があるが、その大体の要点というようなことである。

私の考えは一般に大分誤解されているように思う。それはどういう点かと言うと、私が個物ということをよく言うがその個物に対する考えが誤解のもとと思う。個物とは何か他から離れた独自のもの、何かそれだけで独立のものから成り立っているという様に私が考えていると思うならば、そこにまちがいがあると思う。私の考えはそういうことを言っているのではない。私はかえって我々の最も現実の世界と考えているものがどういうものかを論理的に分析して考えてみようとしているのである。

これまでも現実の世界というものが考えられて居らぬではない。普通に別に哲学を学ばない人でも、現実の世界を非現実の世界と区別して知っている。哲学もまた現実の世界を考える。しかし私は、現実の世界の考え方が今までのものは不十分であると思うのである。どの点で不十分であるかというと、現実の世界をただ自分の前の方に見ている、ただ自分の向うに見ている、自分をその中に入れないで、自分はその外から現実の世界を見ているという見方であるからである。

第一自然科学の考え方がそうである。自分は物質の世界の外に立って、外からこれを見ている。自分の向うに世界を見て、その説明にしたがって反対に自分そのものを説明して来るという考え方である。無論今までの色々の哲学は、先ず物質界を考えそれから精神界を考えるというでなしに、精神界を先ず実在として考えたが、精神界を自分の外に投げ出して見るのは、物質界を考えると同様の見方である。それでは現実の世界と言っても矢張りそれは自分が外から見ている世界で、自分が本当にその中に生きて居る世界ではない。ひっくるめて言うとこれは主知主義的の見方である。しかるに本当の現実は我々がその中に居る世界でなくてはならない。私がその中において活動している世界でなくてはならない。その世界に生れてその世界に働き、またその世界の中に死んで行く世界でなくてはならない。ただに死んでゆくでなしにまた生れて来る世界でなくてはならない。そういう世界をどういう世界と考えるかということについて今までの哲学の考え方が不十分であると思うのである。

それは、精神界と物質界、あるいは哲学的な言葉で言うと、主観の世界と客観の世界という風に、ものを対立的に分けて考えるところに欠点があると思う。例えば今日の唯物論は客観界からすべてを考えようとするのである。そうすると我々の主観界精神界を認めないことになる。我々の心は何等自主的な働きがなく、ただ客観を映す鏡のようなものとなってしまう。総べて主観的なものは空想的のものというように考えることになってしまう。それに反して従来の唯心論の哲学は、客観を主観からのみ見ようとする。このような哲学の立場としては例えばカントの哲学がある。それは主観主義の哲学で我々の世界は主観の構成したものと見る。ところが始めから我々の心と物、主観と客観、精神界と物質界を対立的に区別して考えてゆくやり方では、本当の現実の世界の意味は考えられない。あたまで分けて考えたものをそのまま実在の形として考えるということになってしまう。現実の世界は主観客観のどちらからも任意に考えられるものでなく、むしろ世界そのものの構造からして主観と客観が考えらるべきである。

私の今日の考えと『善の研究』の頃の考えとは一寸見ると違うように思うかも知れないが、あれも純粋経験の立場から考えようとしたのである。純粋経験は主観でもなく客観でもない、主観客観の区別の無い立場からこの世界を考えることであった。純粋経験は学問上の考えとしては不完全であったように思う。今日では純粋経験の立場を論理的に考えようとしているのである。一寸見たところでは『善の研究』の考えと今の考えとは違うようだが、私の企てていることは同一の精神、同一の行き方であると考えてよい。そういうわけであるから決して現実の経験を無視して抽象的な論理の概念からものを考えようとするでなく、現実からものを考えようと思うているのである。ただ現実と言うでなく現実の論理的構造がどうなっているかということを明かにしなくてはならない。それを考えなければそれから主観客観を考えるわけにはゆかない。この現実の世界の論理的構造がどうなっているかを明かにすることが現在の私の問題になっている。このことを心に置いて私の書物を読んでもらいたい。

そこで現実の世界を論理的に如何なるものとして考えるかという話にはいろう。それではこの現実の世界というものを考えるのにどんなところを手掛りにするか、それには実は色々な手掛りがあるだろうと思う。その話し方にも色々あると思うが先ず諸君の一番わかり易いと思うことを手掛りにして話して見よう。

それは現実の世界というものは時間的空間的な世界であることを知ることである。例えば私の考えと非常に違ったカントの哲学でも、経験の世界を考えるときに、経験は時間空間の形式に当てはまったものである。そういう時間空間の形式を離れては経験は考えられぬと言っている。私は決してカントのような形式論を主張するのではないが、時間空間が現実の世界の形式である事は容易に認められると思うからここから話を始めよう。

この世界が時間空間界であるとはどういうことか。世界は空間的である。我々は空間の無い世界は考えられない、何かの出来事は空間において有る、空間的である。しかし単に空間であるにとどまる世界ならば、まるで絵に描いたような世界で動かない。しかしこの世界は動く世界である。動くとはどういうことであるか。時間的に動くことである。私が此所にいるということは空間的な世界にいることであるが、この世界は刻々に動いてゆくものである。動くということは時間的ということである。即ち空間的にあるものは時間的に動いてゆくのである、そして時間的空間的に動くことは、物が働くことである。物が働くというのは必ず時間空間の関係において働くのである。ただ時間的のみでは、ただずうっと向うにいってしまうだけであって物が働くことは考えられない。また、ただ空間的のみであっては、物が働くということはない。だからこの世界は時間的であると共に空間的でなければならない。つまり時間空間の世界である。そういう風に考えることは誰にでも出来るのであるから、それを手掛りにして考えて見よう。時間空間の世界、物が互に働く世界とは一体どういうものであるかということを考えて行こう。この世界は時間的空間的であり、物がその中で時間空間的に働くということは誰も考えることであるが、しかしそれはどういう意味を持つことであろうか。

時間とは何か。普通には時間は過去から未来へ直線的に流れてゆくものと考えられている。だから我々は一瞬の過去にも帰れない。そういう時というものを厳密に考えると、時は全く一直線的に流れるものである。これをどこまでも徹底して考えたのがベルグソンの哲学である。ベルグソンはこのような時間をもとにして世界を考えている。これに対して、空間とはどういうものであるか。直線的な時に対して言えば、空間とは平面的な関係を持ったものである。空間はどこまでも横にひろがったものである。

時は直線的と考えられる。一瞬間の過去にも帰れない。一瞬もじっとしていられない。今だと思った時には既に今でなく過去となるという風に考えると時は直線的になる。ところが空間はどこまでも平面的なもので動かない。空間は時の直線的なるに対して、どこまでもひろがりを持った平面的なものである。それを私は円環的と考え時間空間の結合を直線的円環と言っている。つまりそれは時間的空間的ということと同じ意味を持っている。

時間と空間とは全く違ったものである。もし時において過去と未来とが結び付くという意味を持っているとすれば、それは時とはならない。時は過去に帰ることが出来るということになる。時が空間のように円環的な性質を持ったなら時は無くなる。だからして時というものはどうしても空間的にならない。円環的になると時でなくなる。時はどこまでも空間的にはならない。ところが空間というものには、過去とか未来とかいうものはない。空間は方向を持ったものではない。私がこの教壇の上をどこまでも右から左へゆかねばならず、左から右には帰れないというようになると空間は無い。右から左へ行くのも、左から右へ行くのもどっちへ行っても同じものというところに空間があるのである。だから空間と時間とは絶対に相反するものである。私はよく「絶対に相反する」ということを言うが、時間と空間もそれである。結び付きようのないものである。時間とか空間とかいうものは現実の世界において考えねばならないものであるが、その時間と空間を考えると、どこまでも相反した結び付きようのないものである。

しかるに現実の世界は、そういう風な時間と空間の結び付いた世界である。私は「絶対に相反するものの自己同一」ということを書いているが、それはこういう意味である。全く矛盾した時間と空間が結び付くところに現実の世界が考えられる。現実の世界は、時間空間の矛盾したものの結び付いたものである。絶対に相反するものの同一なるところ、それが現実の世界である。

ところがそこに色々の問題があるのである。今までは無雑作に考えていたが、それをよく考えて見ると非常にむずかしいことである。時間と空間がどういう形で結び付いているか。どういう構造を持っているか。現実の世界の構造がどんなであるかということが問題になってくる。それをどういう風に解釈してゆくか。時間空間がどう結び付くか。これをどう考えたら我々が満足な考えを得ることが出来るか。現実の世界がどうして時間的空間的なものと考えられるか、ということが問題になる。空間ということも問題であるが、時間がどういうものであるかということが特に問題になる。時間は一体どういう構造を持っているのであるか。そこで時の話に移ろう。

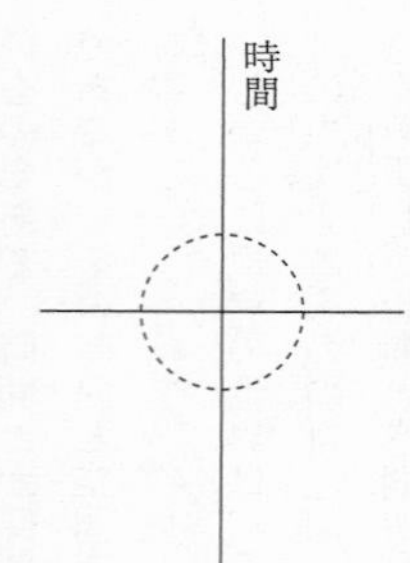

時間というものは今言ったように、普通にはただ過去から未来に向って一直線に動いて行く、過去から現在、現在から未来に動いて行く、現在は始終動いているものであると考えられている。これがむずかしい問題である。

時間というものは、過去から未来に向って無限に動いて行く。一つの現在から次の現在に動いてゆく。この事を更に厳密に言えば、瞬間から瞬間に移るということである。

いわゆるベルグソンの言うように時は一瞬の過去に帰ることも出来ないということになる。点から点へ移るように瞬間から瞬間に動いて行く。これが今の瞬間だと言えばもう今の瞬間ではなくなる。瞬間は摑むことが出来ないものである。

ところがそういうものが何故考えられるかということは論理的に矛盾である。過去は始終直ぐ消えてゆくものだと見ると、時というものは無くなってしまう。過去は瞬間瞬間に消えてゆくというと時は無くなる。時は過去には帰れないが、しかしその過去が絶対に消えてゆくものだとすれば、時というものは無くなる。普通に人は過去は消えてなくなると考えているが、過去が無いというと時は無くなるのである。同様にしてまた未来が無くて過去のみとすると時はなくなる。一体時は何処から始まるか。未来と過去を考えるとき、いつでも人は現在から過去と未来を考えるのである。過去が全く無いとなると時は無くなる。また時に未来が無いと考え過去だけだとすると時は無い。たしかに過去は、現在から消えるのであるが、しかし何かの意味で現在に関係を持って失われずにいるのである。未来はまだ無いが、何かの意味で現在に関係を持っている。すると時はただ直線的に動いて行くのでなく時の現在は過去と未来に関係を持っている。何か空間的な関係を持ったものである。

そういう考えをどこまでも徹底して考えると、時が何時始まり何時終るかは考えられない。無限に過去が考えられ無限に未来が考えられる。過去を考えるとまたその過去が考えられ、未来を考えるとまたその未来が考えられる。しかしこの事は次の事と混同してはならない。この世界は何処かから始まったと考えられないではない。あるいは神から始まったものとも考えられる。今の学問でいうと、この世界は星雲から始まったと言って説明出来るかも知れない。しかし時は其処から始まるのではなく、星雲の前に何があったというようにまたその前が考えられる。人はまたこの世界は終ると考えることも出来る。するとまた何かその後に有るというように、時の終を考えることは出来ない。すると過去と未来は直線的でなく段々円環的になってゆくと考えられ、時も円環的なものに考えられねばならぬ。だから時を全く直線的にだけ考えるのは、普通にはそう考えられるが、よく考えるとそうは考えられない。それでは時が円環的であるということはどういうことであるかということをもう一歩進んで考えて見よう。

するとこういうことになる。

時はただ円環的だと言ってしまうと、時は空間と変らぬことになる。しかし過去と未来がどこまでも結び付かぬと時は考えられない。何か結び付かなくてはならない。だから直線的なものは、何か円環的なものから考えられなくてはならない。しかし単に円環的なものとするなら、空間と同じものになってしまう。過去と未来が単に円環的に結び付くというように考えられないのは、時は瞬間瞬間に消えるということがあるからである。ただ円環的でなく、瞬間瞬間に消えて生れるということがなくてはならない。そこでそれはどう考えられるか。

……e_1 e_2 e_3 e_4……　　先ずこの時というものの瞬間をこういう風にeとすると、瞬間瞬間はe_1 e_2 e_3 e_4というようにこれは何処までも有る。現在は消えては生れ消えては生れるということがなくてはならない。時を単に円環的に考えただけでは、時間は無くなる。時が考えられるためには、瞬間瞬間に消えて生れるということがなければならぬ。それは瞬間瞬間が独立なものでなくてはならぬ。時というものは、その瞬間瞬間が独立のものに考えられるものである。もしも過去と現在と未来とが一つの線のようなものになるとそれはもはや時でなくなる。瞬間瞬間はそれぞれ独立したものである。現在といえば、現在はいつも独立なもの、絶対なものである。それが次の現在に移ると、その現在はまた独立なものに考えられる。我々はこの現在に立って、現在からいつものを考えている。だから時というものは、そういう各々独立した瞬間が結び付いたものである。そこで、各々独立なものの結び付きが時ということになる。

それだから時が円環的なものとして考えられるということはどういうことであるかというと、各々の瞬間が独立なものである、この独立なものが結び付くということである。

独立なものというものはどういうものであろうか。独立なものは横に並べられるものである。つまり図のように並べられるということである。e_1 e_2 e_3 e_4は互に独立であるということは、互に平面的に並ぶことの出来るということであ る。このものが縦に並ぶというときには過去現在未来の連絡があって、現在から過去が考えられ、現在から未来が考えられるという風に、互に関係を持つということになるのであり、したがって互に独立しているとはいわれないのであるが、全く独立となると並列的に空間的に横に並べられる。それで実際において過去現在未来が結び付くというのは、互に独立なものが結び付くということである。

……○ ○ ○ ○……
e_1 e_2 e_3 e_4

時は過去と未来が結び付くということから時ということが考えられるのである。互に独立なものが結び付くには結び付かねばならぬ。結び付くとは空間的である。しかし単に空間的では時というものが失われる。それで、時は一瞬一瞬が独立で一瞬一瞬に消えて生れるものである。例えば人が死ぬとまたその人が生れるではなく、次の人が生れるというように、第一の瞬間は第一の瞬間、第二の瞬間は第二の瞬間というように独立なものでなくてはならない。独立のものが結び付くということは、時に空間的な性質があるということである。そこで、そういうことが一体どう考えられるか。ここにはじめて私のいう個物というものの考え方、個物の論理が必要になって来る。

それでは次に個物というものの考えを述べて見よう。個物ということの概念はどういうものか。

哲学の歴史上には個物についての考えが色々ある。一番古いのではギリシアのアリストテレスが個物を定義してこれを実在と考えている。それから近世ではライプニッツ[1]も個物を考え、色々の世界の構造を個物から考えて説明している。しかし時というものに対する考えが不十分であったように、個物についてのこれまでの考えも不十分であったと思う。この事は去年も話した事であるがもっと詳しく話して見よう。

一体個物というものはどういう風にして考えられるものであるか。個物というものは独立なものでなくてはならない。個物というものを次のように考える人がある。何か一般的なものから個物を考える人がある。アリストテレスが考えたのも矢張りそうであった。一般的なものから個物を考えるとはどういう風なことか。例えば此処にコップがある、このコップが唯一なもので一有って二無きものだということになれば、コップは個物となる。この室の中にこのコップは一あって二無きものと考えた時個物と言える。この室の総べてのもの、室という一般と関係せしめて、室という一般からコップという個物を考えるのである。京都は一つしか無いと考えるのは、日本を考えて、東海道から来ればこの点に在る。北陸道から来れば此処に在るというように色々の関係から京都を日本において唯一の町だと考える。そういう風に総べてに関係せしめて個物を考えるのである。アリストテレスの個物の考え方もそうであった。例えば一つの馬を考えるのに、はじめに一般的な馬を考える。馬一般という概念はどんな馬にも当てはまる。この中から栗毛の馬、栗毛の馬の中のどの馬という風に唯一のものを考える。即ち一般の範囲をせばめていって個物を考える。ナポレオンという個人を考えるのに、先ず人を考え、人のうちのフランス人を考え、フランスの何時代の人で何処で戦争をした、何年何月にアルプス越えをした人であるというようにしてナポレオンをきめてゆくのである。個物をこういう風の考え方できめてゆくのである。これが個物の第一の考え方である。しかしこの考えから個物を考えたのでは本当の個物を考えたのではない。

アリストテレスは論理的に、主語となって述語にならぬものを個物と考えた。「甲は乙なり」、「花は赤し」、「月は白し」、という時、これ等はA is Bの形になる。このAは主語でありBは述語である。私もこの言葉を使っているが、アリストテレスは、個物というものを主語となって述語とならぬものと考えた。これはまことに天才的な考えである。ナポレオンの例で言うと、人は個物ではない。誰も皆人であって、人という言葉はいくらでも述語になることが出来る。ところがナポレオンは述語にはなれない、フランス人はナポレオンであるとは言えない。だから唯一のものは他のものの述語にはならないものである。ナポレオンはナポレオンであるとは言えるが他のものの述語にはならない。個物はBにははいらない。このすみれはBにははいらない。非常にこれは面白い定義である。色々のものを考えるのによい考え方である。

しかしこれだけでは矢張り一般の立場を脱し得ない。個物を一般的なものから考えて一般的なものの一部分だというような考えをどこまでも脱することが出来ない。コップは何かこの室の一部分であるということになる。それでは働くもの独立なものとしての個物は考えられない。働くもの独立なものとしての個物は、こういう個物の定義からは出て来ない。アリストテレスの考えは不十分である。そこで個物の重要な性質は、自分から働くものであるということである。自分が自分をきめてゆくものであるということが個物というものの本質である。アリストテレスは先ず一般的なものを考えて、一般的なものの部分のまたその部分と考えるところのその極限に個物を考えたので、それでは独立なものであるという個物は考えられない。だから個物を考えるには、どうしても個物は自分から働くものであると考えなくてはならない。

個物は働くものであるというように個物を考えたのは哲学史の上ではライプニッツのモナド(Monade)の考えである。モナドは個物である。それは自分で自分をどこまでも決定してゆくもので、他に由らず他から全く独立したものである。モナドは全く窓を持たないものである。後で詳しく言おうと思うが、自分というものが矢張りそうである。本当の個物は我々の自己である。世界はモナドから成り立っている。ライプニッツのモナドは我々の自己の集りと考えてよい。古代から個物についての特色ある考えとしては、第一には前述したようにアリストテレスが個物の考えを初めて明かにした人といってよい。ライプニッツはアリストテレスの考えを基礎としそれから出て、個物は自分で自分を決定するものであるとして全く独立的に働くものと考えた。これが今日までの個物の考えである。

ところがライプニッツのように考えてもまた其処にむずかしい問題が起ってくる。ただ個物というものが独立なものだと考えただけでそれでよいだろうか。アリストテレスは一般との関係から個物を考えた。ところがライプニッツは他との関係からでなく全く独立なものとして個物を考えた。しかし全く共通なものを否定してしまって個物が考えられるかどうか。これは私はむずかしい問題であると思う。それでライプニッツは非常にここで困っている。もし独立なものが窓を持たないとすると、私が諸君に話をすることも出来ないではないか。世界がただ一つの個物であることになればそれでよいが、そうしたことは誰も言えない、世界には自分のほかに他の個物がある。アリストテレスにおいては個物は一般の一部分であることを出ない。ライプニッツの考えだと個物と個物が全く絶縁してしまって窓がない。すると私と諸君との間に話も出来なくなる。すると私と世界との関係はどうなるか。ライプニッツはそこで有名な予定調和という仮定をとり入れたのである。そうすると次のようなことになる。私がコップを持つ、それを諸君が見ている。コップを持つのは私の世界である。それを見ているのは諸君の世界である。この二者はどうして一致することが出来るか。車の音を私が聞く、諸君も車の音を聞く、この一致はどうして出来るか。ライプニッツによると、それは始めからそう出来るように定まっているのだと言っている。精巧な時計が二つあって一つが十二時になると他も十二時になるが、それと同じ様に、互に独立したものが一致出来るように神が各々のモナドを造ったのであると思う。それが予定調和の考えである。しかしこれは窮した考えである。その弱点は個物をただ独立なものとしたからである。

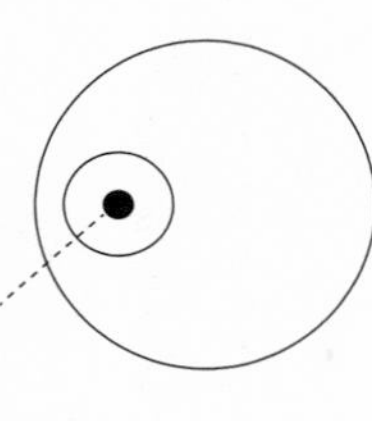

そこで個物には、アリストテレスのように一般から考えることも必要である。個物は、ただ自分で自分をきめるのではただ主観的なものとなってしまう。また独立的に働くということは個物の大切な性質であるが、働くというには他との関係がなくてはならない。アリストテレスのように一般の一部分として考えるのでもなく、ライプニッツの様に全

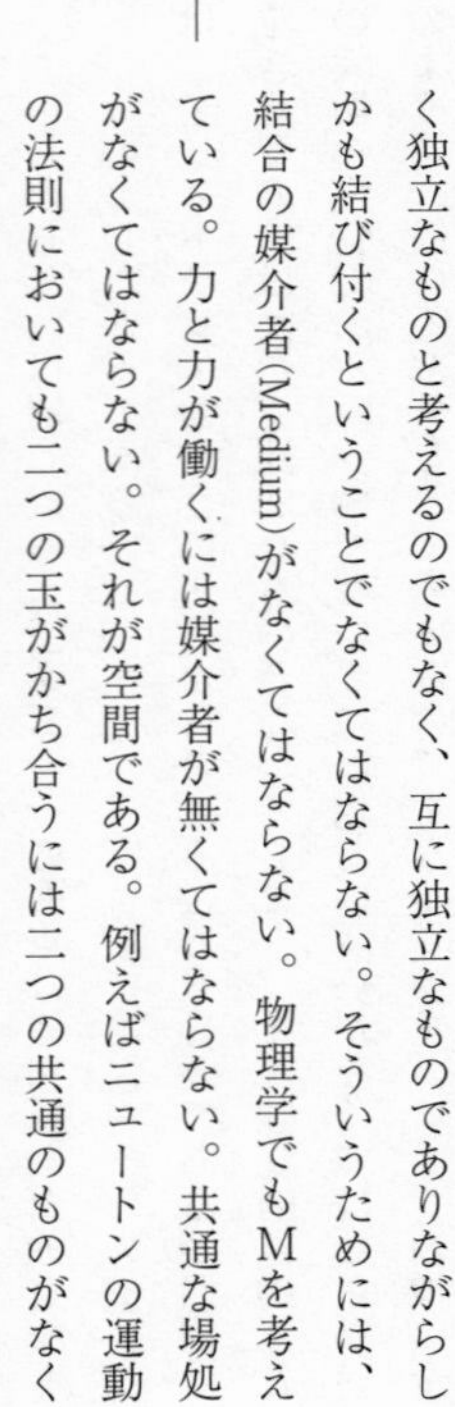

く独立なものと考えるのでもなく、互に独立なものでありながらしかも結び付くということでなくてはならない。そういうためには、結合の媒介者(Medium)がなくてはならない。物理学でもMを考えている。力と力が働くには媒介者が無くてはならない。共通な場処がなくてはならない。それが空間である。例えばニュートンの運動の法則においても二つの玉がかち合うには二つの共通のものがなくてはならない。それが空間である。それだから個物と個物とが結び

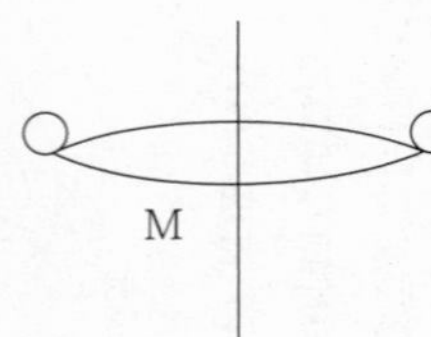

付くにも媒介者が無くてはならない。私はこのようにしてアリストテレスとライプニッツの考えを綜合したところに本当の個物が考えられると思うのである。

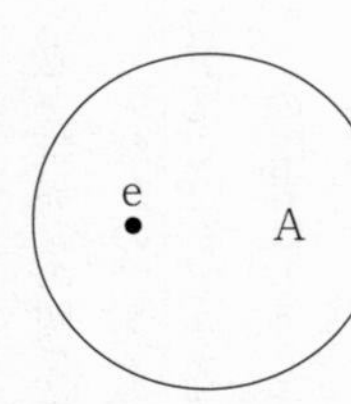

個物は互に独立であるが、独立なものが相関係するのである。私の本の始めに書いてある図の形はそれを意味している。eを個物と考える。個物はいくつも考えられる。これを結びつけるものがなくてはならぬ。それがAである。アリストテレスはAの一部分にeを考えたのである。eは個物、Aは一般である。私の書物には式の様なものを書いてあるがこれがどういうものであるかを説明して見よう。

eとA、個物と媒介者(一般)との関係が大事な問題になる。この一般(個物を結びつけるから媒介者)と個物とは一つのものであってしかも一つのものであってはならない。別のものであって別々のものでないものでなくてはならない。何故そうかというと、個物というものは一つでは個物とは考えられない。個物は多数でなければならない。そして個物と個物がどうして結び付くかというとその結び付きに二つの意味が考えられる。それは自分の中から結び付くか外から結び付くかという二つである。

個物は如何に関係するか。内から関係するか、外から関係するか。内から関係するとは、個物が他の個物と内面的に結び付くことである。内面的に結び付くとは、例えば自分というものを考えてみる。自分というものは先ず時というものによって考えられなければならない。過去未来が無くては自分というものが考えられない。昨日自分は夜寝た、寝た時には意識はすっかりなくなったわけである。そうすると、今日の自分と昨日の自分とはどうして結び付くか。そうすると我々は直接に内から結び付くと考えるほかはない。こういうように昨日の自分と今日の自分が結び付くというように個物と個物が結び付くと考えられる。これを私は内から結び付くというのである。これを人は色々に考えるかも知れない。寝ていて脳髄があるから昨日の経験が脳髄にはいっていてそれがまた出て来ると考えるかも知れないが、これはいい加減な考えで、つまり物理現象から精神現象が出てくると言うのである。しかしそうは考えられない。内から結び付くと昨日の私と今日の私とは別のものであっても一つの個物となってしまう。諸君と私と話して相互に理解するということを考えてみても、甲の人間と乙の人間とがどうして互に理解するか。話は空気の振動であり物理的のものである。手紙も物理的のものであろうが、それに由って二人の者が結び付くというのは、直接に内から結び付くので同じ考えが甲にも乙にもあらわれているということである。即ち一般的な自己が考えられるのである。私と汝は絶対に違ったものでなく内面的に結び付くのである。私と汝という全くの個人にも、互に理解するということがあるのは、一つの考えが両方にあらわれるのだと考えられるのである。単に独立した私という如きものは考えられなくなる。私の書物にEという符号がある。これは内から結び付くのを示したのである。Eで考えてゆくと一つのものの内面的連続となり、内面的連続は一つのものとなる。今までの理想主義の哲学は皆Eを考えている。総べての人の綜合としての一般的我、意識一般とか、フィヒテの自我、ヘーゲルの絶対精神というものがそれである。このようにして内から結合を考えてゆくと、その媒介的一般者としての一般的我の如きものの考えに到達する。

さてそれならば外から結び付くとするか。Aで結び付くと考えると個体は段々消されてゆかなくてはならない。何となれば、二つのものが外から結び付くというには、二つのものの個性的独立性を否定し去ることである。例えば我々が物から支配されると自分の独立性が否定されることになる。

我々個体がどこまでも内から結び付く、内面的に結合してゆくものだと考えると我々は実は一つの一般的なものになってしまう。昨日の自分と今日の自分が一つの我となり、私と汝とも一つのものとなる。これに反して、外から結び付くと考えると個物が消され我の独立性が消されて個体はすべて外界の一部分となる。内から結び付くと自己がひろがってゆき、外から結び付けられるとなると自分が否定されてゆく。私はこのどちらもいけないと思うのである。内から結び付けると、

$$e_1\,e_2\,e_3\cdots\cdots=E$$

となり、外から結びつけるとAとなってしまう。それで、この関係を正しく考えるには次の考えのほかはない。EとAとが一つである、それをMとする。このMというのは、$\overset{M}{E|A}$で、oneであると共にmanyである。個物は一つであると共に多なるものとして初めて考えられる。これが矛盾の統一である。矛盾の統一とは即ち独立なものが独立でありながら一つでなくてはならぬということであって、これによってはじめて個物が考えられるのである。

先に言った考えに戻って考えて見よう。時というものは次の図のようなもので、

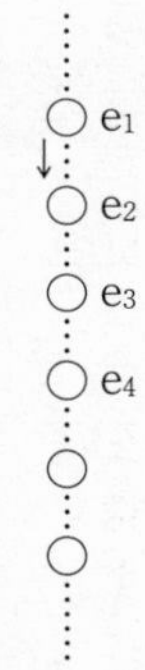

……○ e_1
↓
○ e_2
…
○ e_3
…
○ e_4
…
○
…
○
……

瞬間から瞬間へと移ってゆく。瞬間瞬間は独立で、互に独立でありながらそれが結び付く。これは矛盾の統一である。私の非連続の連続というのはこれである。非連続とは独立ということであり、連続とは一つということである。一即多、多即一が時の根本的な構造である。独立であるものの結び付くということは考えられないことだと言わなくてはならないが、しかし実際の時というものは矛盾の統一として考えられるべきもので、ここに弁証法が成立するのである。

弁証法的というものは次のように考えられる。マルクスはAを主にし個物を無視している。本当の弁証法には主観界eがはいらなくてはならない。マルクスの弁証法はAだけについて言っているので、それでは本当の弁証法にはならない。本当の弁証法には、eの主観界とAの客観界とがはいって来なくてはならない。だから時というものは過去から未来に向うものと考えられるのであるが、実は現在からその方向が考えられているのである。現在において互に独立しているものが結び付いているというところに時があるのである。

今日は縦のものとして時間の中に横のものとしての空間がなくてはならぬということ

を考えて来た。しかしこれでは諸君に本当にわかってもらえなかったであろう。ただ論理的におしつめて考えたものをお話したのであって、あるいはまだ本当には納得出来ぬかとも思う。明日は我々の日常の生活に即してそう考えられなくてはならないことをお話して見よう。

昨日の続きをお話します。

昨日お話したことの要点は、つまり我々のこの世界というものを先ず空間的時間的に考えて、そういう空間時間の世界はどういう構造のものであるかということを話した。それについて先ず時間というものがどういうものかということを話した。

普通には時間というものは過去から未来に直線的に動いてゆくものだと考えている。直線的に動いてゆくものだと考えられているがしかし時間の本当の性質を完全に考えると単にそれだけでは考えられぬ。時間において過去と未来が何処かで結び付いているのである。単にその時その時が消えて生れるだけでは時間の性質は尽くされていない。過去と未来とは結び付くと何か空間的となる、円環的の形になる。しかし単に円環的と考えると空間的と変らなくなる。そこで時というものを完全に考えるには、瞬間瞬間は独立なものであって、一つの瞬間が消えて次の瞬間は別のものであるが、この独立的なものである。

のが結び付くと考えなければならない。時間は円環的であると同時に、瞬間瞬間が独立であると考えねばならない。それは矛盾である。その矛盾の統一として時が考えられるのである。

M

独立なものが結び付くとはどういうことか。論理的にそれを考えると、独立なものは皆個物的なものである。個物は元来互に独立したものである。独立したものは、独立したものと独立したものとが相対することによって考えられたものである。単にただ一つのものでは本当の個物が考えられない。個物が考えられるには、これを結び付けるもの即ち媒介者が無ければならない。個物と個物が互に媒介者によって結び付けられるということはどうして出来るか。媒介者Mが弁証法的なものでなくてはならぬ。このものは、結びつけるというときには一つ、即ちAになる。ところが結び付けるということが同時に分れるということである。つまりAが同時にEである。Eとは分れること(e_1 e_2 e_3……)を意味している。AとEとがひとつであると考えるのが弁証法的な考えである。

$A=E(e_1\ e_2\ e_3……)$

そこでそういう独立的なものが結び付くということから時というものが考えられるということはどういうことであるか。今まで話したことは抽象的で、諸君にわかりにくいか知れない。それでこれから少し直接我々の知っている日常の経験的事実というものから今言ったようなことを説明して見ようと思う。

我々の自己というもの、自分というものが一体どうして考えられるものか。これを自己意識というものから考えて見よう。そうすると今言ったようなことが具体的になって来る。何人も自己意識というものを持っているだろうと思う。自分というものを意識している。しかしどういう風にして自分というものを意識しているだろうか。自分を意識しているのは何時でも現在であろう。諸君が自分を意識するとき其処は何時でも現在である。自分というものが在るところが即ち現在である。しかし現在というものだけで、自分が過去とも未来とも関係が無いものとすると、自己というものは無い。我々の自己というものはやっぱり歴史を持っている。歴史を持っているということは過去を持ち未来を持つことである。どんな人間でも伝記を持っている。そして現在において自己が考えられているのである。自分を考えるところが現在である。自分は現在にあって過去を持ち未来を持っている。自分が居るところは何時でも現在でしかも何時でも過去と未来を持っている。

普通に時を考えるように、時というものは刻々に移るもの動いてゆくもので、現在というとそれは既に現在でなく過去だと言うことになる。しかしそれでは自己は考えられない。昨日も言ったが、現在というものに、過去は過ぎ去ったものだが何か過ぎ去らないものがある。例えば現在をeとする。過去をe_{-1}, e_{-2}, e_{-3}……とし未来をe_{+1}, e_{+2}, e_{+3}……と考えて見る。そうすると、現在というものはeであるが現在に何か$e_{-1}, e_{+1}, e_{-2}, e_{+2}$……というものが現れてくる。このままあるのではないが何かまあこういう風な形でなくてはならない。そうして過去は過去であるが、過去においてはe_{-1}の時にはそれが現在であり、e_{-2}の時にはそれが現在である。未来においてもe_{+1}の時にはそれが現在であり、e_{+2}の時にはそれが現在である。一つ一つは独立なものでなくてはならない。

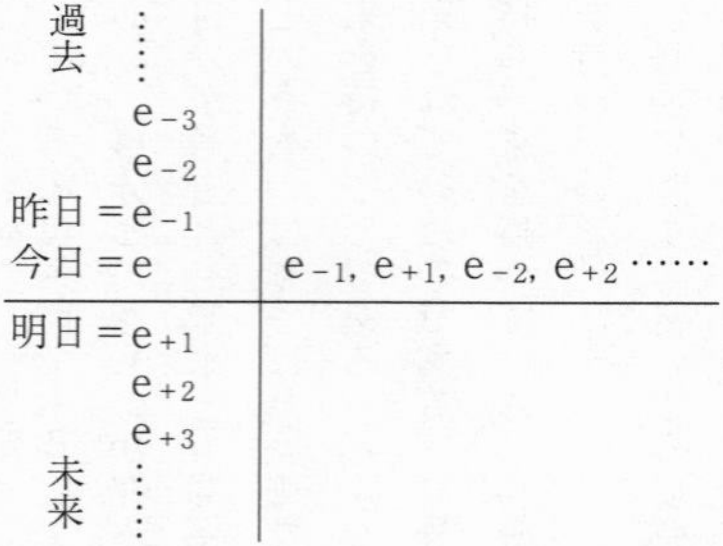

過去
……
e_{-3}
e_{-2}
昨日＝e_{-1}
今日＝e　　$e_{-1}, e_{+1}, e_{-2}, e_{+2}$……
明日＝e_{+1}
e_{+2}
e_{+3}
……
未来

例えばeを今日としe_{+1}を明日としe_{-1}を昨日と考えると、今日は今日で独立な世界であり、明日は明日で独立な世界である。昨日は昨日で独立な世界である。独立なものはいつでも横に並んでいる。そういう風に時というものが考えられるのである。

だからしていつでも同一な自分というものが過去現在未来と続いて生きて行く。それを貫いて一人の人が私であるということは、いつでも現在において過去未来が同時存在的であるということであると思う。実際諸君は現在の自分を考える。自分を考えるところ、其処が現在である。そうしてそこから過去と未来を考える。現在において過去と未来が同時存在的にずっと並んでいる。自分が同一の自分であるということは、何時でも過去と未来が同時存在的に同時に横に並ぶことが出来るということである。過去と未来が同時存在的であるということから自分が考えられているのである。だから現在から過去と未来が考えられて行く。どういう風にして同時存在的に考えられるかというと、現在のうちに過去と未来が同時存在的であるということから考えられるのである。

自己同一ということはこれまでの普通に考える考え方では、自己同一は縦に続いているものであると考えられている。普通には直線的に考えられている。歴史的だということは過去と未来とが直線的に続いていることであると考える。ところが自己同一ということは直線的ではなく、現在が過去と未来を包んでいるということ、即ち平面的円環的なものから直線的なものが考えられるということである。自己が現在に在ってその現在に過去と未来が含まれるのである。消えてゆくところからは自己は考えられない。現在にあって現在に過去と未来がいつも含まれるという意味である。ところが含まれていると言っても、単にeというものの中にはいってしまうのではない。eというものの中にはいるということは、eというものの中に消されることだが、過去は過去としてeとは違う独立なもので、未来は未来としてまた独立なものである。そして互に独立なものであるが同時存在的だというのである。個々独立のものが横に並ぶということが現在において過去未来が同時存在的であるということである。そこから時というものが考えられる。こういう形が先に言ったEとなるのである。現在というものがこの媒介者になるわけである。現在という平面が何時でも媒介者になって過去から未来にずうっと続いた世界が考えられるということになるのである。

普通に主観客観とか、あるいは物と心とかいう風な区別をしているが、哲学的な言葉で言えば主観界客観界であり、普通の人の言葉で言えば心と物と言うように何時でも対立的に言っているが、主観界即ち世界というものはいつでも時の形式で成り立っているものである。時と主観というものは一つのものである。こういう時の形というものが我々の心というものを組織しているのである。自分というものがどういう風にして考えられるか。時というものによって我々の人格の自己同一というものが考えられて来る。またこれを逆に心というもの、主観界が無くては時というものを考えることは出来ない。そういうと諸君は物理学的に時を説明するのではないかと言われるかも知れないがそれについて説明するのはまたむずかしいことである。物理学上でも時を考えるではないかと言われるかも知れないけれども、物質界において物が生ずるというのは、自分がそれを見るという主観的なものがあってはじめて物が生ずるということが言えるのである。主観をとってしまったのでは、物が生ずるということは言えない。しかしこれだけの説明ではわかりにくいが、それをよく説明するには物理学的世界というものを説明しなくてはならないが、これは横道だから今は止めておく。とにかく心の世界と時の世界とはひとつのものである。それが個物というものの世界である。

ところで個物の世界というものは唯一の個物では考えられない。個物は個物に対する個物で、互に独立のものが結び付くところに個物が考えられる。

時——心——個物

時、心、個物という三つのものはひとつのものである。これも仲々そう考えるのはむずかしいかも知れない。

我々の世界は一面において時の世界でなければならないということを今まで言った。時というものを完全に考えるとどんなものであるかの大体をお話した。そこで時の話の方が詳しく長くなった。それは時というものの考えが昔から哲学の上でむずかしい問題であったからである。時の問題の考え方が昔から人に由って違っている。実在の世界は働く世界でなくてはならない。物が働くことなしには世界は考えられない。物理学の考える運動は働きである。働きを考えるには時を考えることなしには成り立たない。それで時の話が長くなった。今度は話を一転して空間というものについて話そう。我々の世界は一面空間的である。普通に空間というと、空間というものはつまり方向の無いものである。方向が無いということは実は方向が無いということではなしに、方向が有るが方向はどうでもいい、どちらに向いてもよいということである。例えば二つの点が空間的関係においてあるということは、どちらからどちらに行ってもよいということである。そういう風な関係で空間というものは可逆的(reversible)な関係にあるのである。空間的関係というものは皆そういう風なものとして考えられる。時間的関係はある一つの方向へずうっと進むものであるが、空間は縦にしても横にしても同じである。空間は逆にも行ける。過去から未来へも未来から過去へも行ける、そう考えるところに空間がある。時間はずうっと直線的方向(非可逆的)であるが、空間は逆にも行ける。

幾何学というものはそういう関係から考えられたものである。直線というものも、二つの点において一方から他に、他から一方に行ける。AからBへ、BからAへも行けると考えるのが線である。平面を考えると更にどちらへでも行ける。立体を考えてもこの考えをのばして考えられるものである。過去から未来に無限に行け、未来から過去に無限に行けるというように時を可逆的にしたのが空間である。時は直線的で無限に行くものである。これを数学者が無限大を表すのに使う符号によって表すと図のようになる。

つまり同時存在的関係が空間と考えられるものである。しかし今言ったようなことだけでは、それは幾何学的空間というものである。

ところで我々が、世界が空間的であるというのはどういうことであるか。世界が空間であると言う事は世界が幾何学的空間だというのではない。幾何学的空間は我々が抽象的に頭で考えたものである。実際に世界が空間的であるというのは、物と物との関係である。この物が空間においてあると言うが、実は物というものと物というものの関係から空間が考えられる。世界が空間的であるという事は物と物とが同時存在的であるということである。例えばこのコップとこの水瓶が空間的関係にあるということは、この二つの物が同時存在的であるということである。この机上のコップから水瓶へ水瓶からコップへも行けるということである。コップがなくて水瓶が有るとか水瓶が無くてコップが有るというのではなしに、どちらも有るのである。AとBが空間的関係にあるということは、Aが無くなってBが有り、Bが無くなってAが有るということではなくて、AからBへもBからAへも行けるということである。先に言ったように、我々が時を考えるのに現在を中心にして考えている。e_1 e_2 e_3……と並んだ個性的独立のものが結び付くのが現在で、ここから時が考えられる。こういう風な関係がつまり空間的というこ

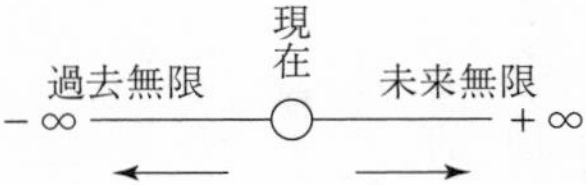

現在

過去無限　　未来無限

$-\infty$ ←――○――→ $+\infty$

とである。

だからこう考えるとよかろう。さっき言ったことを繰り返して言ってみる。eが現在で次の図のようになると空間はe_{-1}, e_{+1}, e_{-2}, e_{+2}と横に並んだものである。つまり空間というものは横である。時は無限に過去から未来に行く。縦に並んだ時間の系列が横に並んだものが空間である。

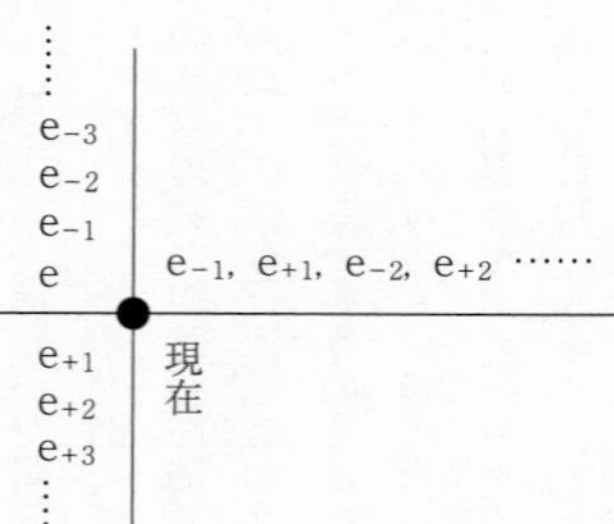

それだから世界が空間的であり時間的である、時間的空間的であるというのは何処で時間空間が結び付いているかというと、何時でも現在で結び付いているのである。だから現在というものは縦のものが横になっていると考えればよい。それがEである。逆に横のものが縦になったものが時間であるとも言える。縦のものが横になるということは横のものが縦になるということと同じである。つまり時間というものが現在において空間的であるということは、空間的なものから時というものが考えられて来るということと同じである。だから何時でも現在が世界の中心になり、その現在は空間的であると共に時間的である。そうして其処が物と物とが働く世界である。

物と物と働くということは、独立なものが相関係するということである。例えば物理学の引力ということを考えて見る。物と物とが互に相引くということは、つまり物と物とが互に相関係するということである。例えば電気を考えて見る。此処に＋の電気があり－の電気があるとすると、＋と－は相引き＋と＋は相反撥する。コップと水瓶とが互に相働くとは、この二つが独立のものでなくてはならない。その独立のものが互に相引き相反撥して関係しあうことが物と物とが働くということである。そういうことが物と物とが働くということである。そうした物理学上のことでなくても人と人が働く事は、私と汝の独立なものが関係することである。それが働くということである。私が話をし諸君がそれを聞く、それは私が諸君に働きかけることである。諸君が話し私がそれを聞く、これは諸君が私に働きかけることである。そういう事の出来るのは同時存在的に現在にあるという関係にあるから働けるのである。そこは何時も現在ということ、同時存在ということが無くては互に働くということは出来ない。今までの人が考えたように、過去が消えて現在と切れているものであり、未来が未だ来らないもので現在と切れているものであると考えると、働くということは無い。何かの意味で同時存在的でなければ働くということは考えられない。働くということは同時存在的ということから成り立つのである。

我々の世界は時間的であるという意味からはどこまでも縦であり、空間的であるという意味ではどこまでも横で円環的である。時間の直線的と空間の円環的とが現在において一つになっている。現在は時間と空間とが結び付いているところである。それは二つの違ったものが結び付いたのでは無く、現在は時間的であると共に空間的であり、直線的であると共に円環的である。現在は全く相反する両性質を持ったものである。物が働くとはそういう風なことから働くということが考えられる。そう了解したらよい。時間空間は無限に考えなくてはならない。時間も無限であり空間も無限である。無限のものが一つに結びついているのが現在である。現在はどこまでも矛盾の統一であり、無限に動くということがなくてはならない。横のものだけでは動かないが時間的であるから一歩一歩動いて行く。縦は動くのみで止まらない。空間は止まっている。時は動き空間は横で止まるものである。現在は動であると共に静である。そこからすべての我々の世界が考えられる。そして「時間—心—個物」というものはひとつのものである。我々はこれを別々に考えるが、実はひとつのものである。個物とは唯一なものであるということであるが、唯一なものは時間的なものである。ただ横に考えられるものは個物とは考えられない。

昨日話したようにアリストテレスの個物というものは時間的でない。一般的なものを考えて一般的なものを段々に限定して行って極限に個物を考えると、時と心と個物がひとつとは考えられない。アリストテレスのように考えると個物ではない。どこまで行っても一般の一部分としか考えられない。そこでライプニッツのモナドの考えになると、個物は自分自身で自分を限定するもので、動いて行くものである。すると縦に動いてゆく直線的のものにならなくてはならない。ライプニッツの『モナドロジー』をお読みになるとわかるが、モナドは無限に発展してゆくものであると言っている。ライプニッツはモナドを時間的に考えている。ライプニッツのモナドを研究すると私の言う「時―心―個物」の三つのものがひとつのものであるということがわかる。

　普通に個物を考えるにはアリストテレス的に考える人が多い。個物はそう考えられるがそれだけでは個物の本当の意義は無い。個物は自分から働いてゆく自発的なものである。自発的のものであるということは個物に大切なものであってこれを欠いては個物とは言えない。そこで個物は時間的のものとなる。個物は時間を離れては考えられない。時は我々の心を離れては考えられない。即ちこの三つのものは一つとなる。

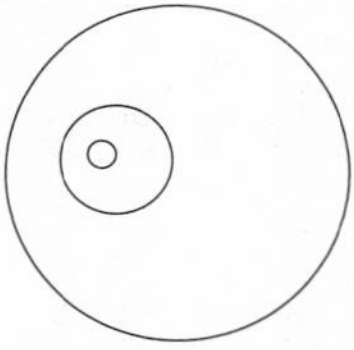

　ところで空間はどういうものであるか。空間は丁度これと反対なものである。

空間——物——一般

空間と物と一般とはひとつになる。空間とは同時存在として考えられる。空間では総べてのものが現在である。現在と考えるときそれが空間であり、それは物である。物は空間的に並ぶものである。これは近世哲学の元祖と言われたデカルトにおいて見るとわかる。近世哲学の祖としてデカルトと英国のベーコンとが挙げられ、デカルトは合理主義、ベーコンは経験主義のもとになる人である。このデカルトが定義しているが、物質とは空間的のものであると言って物を定義している。これはひろがりを持ったもの即ち空間的ということである。空間は横に並ぶことから物質的である。

だからして我々の現在が時間的であり空間的であるということは、我々の現在は主観的客観的であり、心の世界であると共に物の世界であるということである。

○ 主観——時間——心——個物
　 客観——空間——物——一般

というようになる。私が此処に在るとは、空間的であると共に時間的である。空間的客観的であると共に時間的主観的であり、一般的であると共に個物的であると考えられる。

ところが従来の考えはそういう風に物を考えていない。唯物論・経験論は、「客観―空間―物―一般」から、「主観―時間―心―個物」を考えて、「主観―時間―心―個物」

を否定し一面的になり具体的ではない。唯心論・理想主義は、「主観—時間—心—個物」の側から、「客観—空間—物—一般」を考える。こういう風に一方から一方を考えるとどうしても一方の性質を無視し具体的の世界は考えられず抽象的になってしまうと言えるだろう。

そこで、私がこの話の一番始めに言ったように、そういう風に考えるということがつまり我々の自己が世界の中にいるでなしに世界の外にいて見ているのである。世界の中に生れ、働き、死ぬ、ということから見るのではない。単なる客観主義の立場から考えると、自分はどこまでもその中へはいれない。人間は時間的空間的なものである。唯物論の立場から考える人は人間の自己というものを否定してしまう。現今のマルクスの唯物論は昔の単なる唯物論とは違い弁証法的に考えている。此処がマルクスの唯物論の特色であり、現代に意味を持っているところである。しかし唯物論は如何なるものにせよ意識というものを全く否定してしまう。歴史とか人格というものも否定してしまう。実在を唯物的に見、「客観—空間—物—一般」の側から、「主観—時間—心—個物」の側を見るので心とか人格とかいうものは否定されてしまう。昔からの唯心論は時間から空間を見ようとするので、自分が空間になるというところがない。客観的になるというところが無い。客観的世界は考えられなくなる。マルクスが理想主義を攻撃するのはその点である。理想主義では極端に言うと、客観は夢の世界、空想の世界となる。そうした弊を脱することは出来ない。唯心論にも色々有って非常に進んだものもある。カントの唯心論もヘーゲルの唯心論も単純に「主観―時間―心―個物」から「客観―空間―物―一般」を見ているのではなく、「客観―空間―物―一般」の方も十分考えてはいるが、根本においてその弊害を脱するものでない。それはどうしても主観または客観のどちらかの一方から考えるのでなしに、現在の世界が主観客観の両

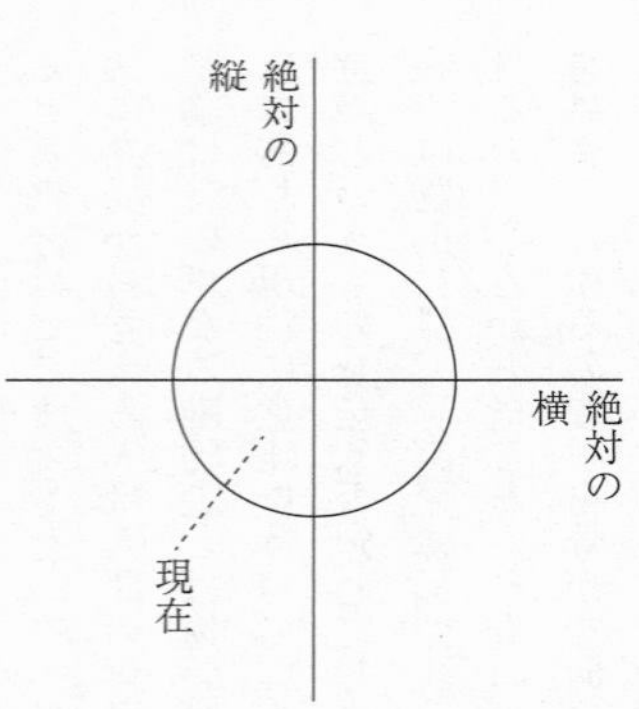

面を持っていると考えなくてはならない。

そこで私の言う現実の世界が論理的にどんな構造を持っているか、現実の世界の論理的構造が如何なるものであるかが予想出来るであろう。絶対の縦、絶対の横があるでなしに現在は横であると共に縦である。現在はそうした矛盾の統一として弁証法的である。空間的という意味において静、時間的という意味において動である。静であると共に動である。そこで色々の世界が考えられる。色々の世界をこの型から考えて見ることが出

来る。今まで言ったのは世界の根本的な模型について言ったのである。現実の世界は時間的であると共に空間的、動であると共に静である。そういう風に世界は無限に発展してゆくもので主観的であると共に客観的である。私の書物の中で現在を限定すると言っているのは上のような事を言っているのである。現在は静であると共に動である。現在が現在自身で働いてゆくということである。世界の中心は現在にある。これが世界の根本的な模型である。この模型から色々の世界が考えられる。我々は色々の世界を考えるがこの根本的な模型から考えているのである。それならどういう風にして色々の世界が考えられるか。

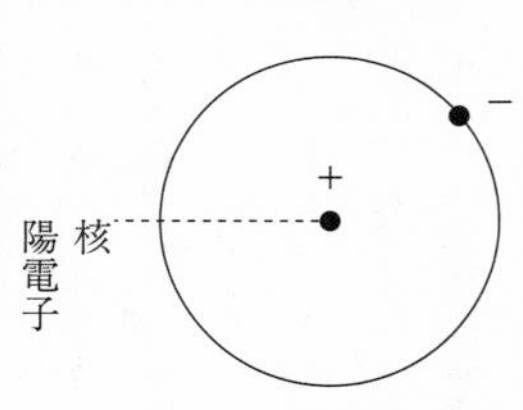

我々は先ず物質の世界を考えて見る。この世界は何かアトムというようなものの互の関係から成り立っている。現今の物理学からいうとエレクトロンが物質の根本でエレクトロンの結合から一切の物が成り立っていると考える。私も幾つかのエレクトロンの結合、酸素とか鉄とかいうものも幾つかのエレクトロンの結合であるという風に考える。有名なボーア(Bohr)という人の考えによると、アトムは真中に太陽系のように陽電子の核があり、そのまわりを電子が廻っているということから物質の構造を考えている。電子の一つの

ものが水素で二つのものがヘリウム、金は幾つであるというように物質の構造を考えるのである。水銀から金を作るということは空想に終ったが、中世の錬金術のようなことも今の物理学から言うと出来ないことでは無いのである。水銀と金とは非常に似ていてエレクトロンが一つしか違わない。それで非常に強力な電力を加えてエレクトロンを一つとるとよいので出来ない筈は無い訳である。これが現今のボーアの物理学であるが、現今ではそれもいけないのであって更に精密に考えている。そうしたことから世界を考えるのが物理的世界である。極端な唯物論はこれから現実的世界を考えようとするのである。そうすれば総べてのものは物理的法則に支配されることになる。十八世紀のフランスの有名なラプラース(2)の言葉であるが、もし非常な数学物理学の天才があるならば、その人には数学の計算から世界がどうなってゆくかという将来がわかると言った。しかしそう考えることは全くこの世界を抽象的に考えることである。

現在においては独立なものが互に結び付いている。独立なものの互の関係から現在が考えられる。独立なものは皆時間的なものである。時間的なものは現在から考えられるが、現在はただ現在だけでなく、同時に過去と未来がある。現在だけにすると物理的世界となる。物理学の世界も決して嘘ではない。世界が現在だけであるとして、現在をどこまでも拡げて現在の平面の中に総てのものを並列的に入れて考えると物理的の世界となる。物理的の世界には時間は無い。過去未来は無く、変化も無い。例えば、昔の星雲の時代から現在の地球になったと考えるが、そういうように運動したのはある一つの空間を廻っただけであることになる。物理学的世界は、現在を考えて過去未来が同時的に含まれなければならないものを全く否定したものである。個物とか主観とかいうものが含まれなくてはならぬがそれを捨てたのが物理学的世界である。物理学的世界を我々が本当の実在的なものと考えるには理由がある。我々は現在を考えなくては現実の世界は考えられないからであるが、しかし現在だけとするとこの世界は抽象的となってしまう。そういう世界からは精神的なものは考えられない。具体的な世界となると時を持つのであり、したがって過去未来が含まれなくてはならない。

過去未来が含まれて来ると其処に生物界が考えられる。現在だけでは決して生物の世界は考えられない。例えば此処に一つの木の芽があると考える。梅とか桜とかの小さい芽がある。この木の芽は物理学的科学的に考えると、過去もないただ平面的なものになる。こうなればこうなるという法則に従うものでアトムとアトムの結合に過ぎなくなる。そういう風に考えたら生物が無くなってしまう。しかし木の芽の現在の中には同時に過去未来が含まれるのである。木はどこまで大きくなってもそれだけのものでは無くて、生長して行くが何かから生れたものであり、死んで行くが何か種を残して行く。こういう縦の方向が考えられるものである。この縦のものから生命の世界が考えられる。我々人間も物理学的に考えたらアトムの結合である。ボーア(3)の説に依れば私の体はエレクトロンが廻っているものに過ぎない。それでは生命は無い。私が生長して行くのは現在がただ現在だけでなく現在の中に何時でも過去未来が含まれているのである。其処に生命がある。個物はただ一つあるのではない。私は親から私の親はそのまた親から生れる。ダーウィンのように言うと原始的な生物から人間が生れたのである。死ぬが子孫を残して行く。そう続いて行って行く末はどんな物になるかわからない。現在は過去未来を含んで動いて行く。其処に初めて生命の世界が考えられる。

このように物質界というものの次に生命の世界が考えられるが、更に我々の世界は歴史の世界であると考えられる。歴史の世界とはどういう意味であるか。生命の世界と歴史の世界とはどう違うか。生命の世界になると、何か時間的のもの、つまり主観的個物的なものがはいって来なければならない。この事は明かであるが、だがそれだけではまだ本当に個物と個物が相対するということが無い。本当に独立なものが同時存在的だということが無い。其処が違うのである。生命というものは同時存在的だと言っても、本当に過去と未来が対立するということが無い。

それはこういう事である。過去というものを目の前に見るということは出来ない。本当に時が空間的であるということは言えない。ところが我々の歴史の世界においては、過去を実際現在に目の前に見るのである。過去を自分に対して我々は向うに見る。過去はこうだからこうしなくてはならない。過去がこうだったから未来はこうしなくてはならぬというように、過去と未来とを対立的に見ることが出来るのである。生物の世界には過去と未来があるがその過去と未来を我々の向うに見ることは出来ない。これは一人の人を考えてもそうである。諸君が諸君として考えて見てもそうである。例えば、昨日私はああいうことをした、あれは非常に悪かった。明日はこうしなくてはならぬ、と現在において考えるとき、昨日の私と明日の私とが全く独立したものとして目の前に考えられる。個人というものを考えて見ても、個人は次のような風に考えられている。歴史の世界を言う前に自分の個人ということを考えて見よう。

　個人というものを考えて見ると私は物質であるとも考えることが出来る。しかし生物的生命肉体的生命とも考えられる。また、意識を持った人格的人間と考えられる。つまり、人格的生命とも考えられる。生物的生命と人格的生命との区別はどこに有るか。人格的生命はどういう風にして成り立つか。昨日の私 e_{-1} と現在の私 e との関係は、e が e_{-1} を批評的に見るのである。明日の私 e_{+1} をも批評的に見るのである。昨日の私と現在の私が独立にある、明日の私も独立にある。自分が自分を批評出来る、自分を自分の前に置いて批評的に考えられる。其処に我々の人格的生命がある。ところが生物的生命はそうはいかない。私の体が今日こういう状態であるということは昨日から続いて来たものである。今日の自分は昨日の自分の何か結果を持っている。それはまた既に明日の自分を含むものである。含まれてはいるがそれを本当に前へ投げ出して離れるということは出来ない。我々が生きている以上、昨日の私と今日の私は結び付いている。昨日の私は今日の私の中に含まれている。昨日の私は今日の私が有る所以であり、今日の私は明日の私の有る所以である。今日の私は昨日の私を含み昨日の私と今日の私とは関係がある。

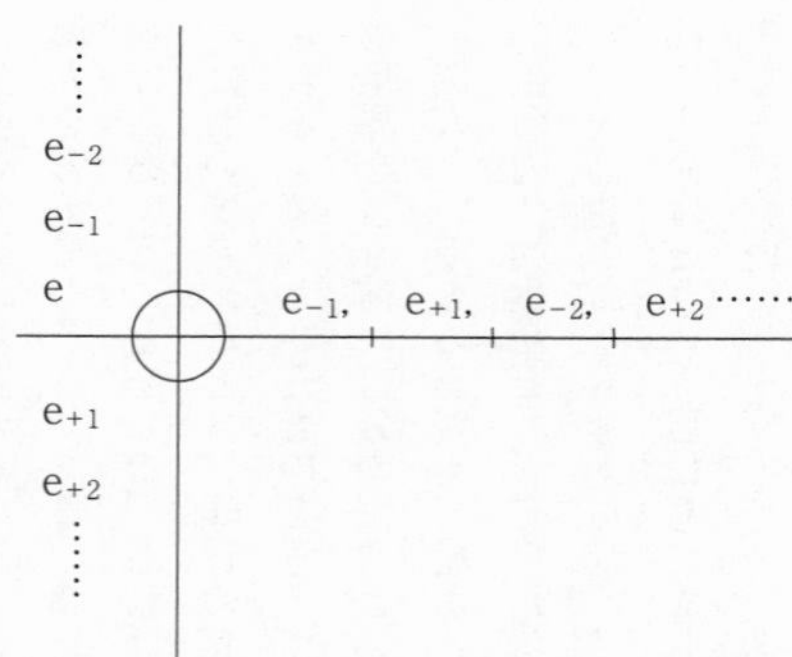

今日の私は明日の私に関係がある。ところが生物的生命は昨日の私と明日の私を独立なものとして私の前に置いて、どう考えるというようにその関係を考えることは無いから、同時存在的ということは出来ない。私であるが自分を他人の如くに見るということが無い限り我々の人格的生命は考えられないのである。ここではっきり区別出来る。

物質としては今日と昨日の関係が無くて、同じものが原因結果の関係で動いてゆくのである。同じものが繰り返されるのである。ところが生命はそうでは無い。生命になると過去未来を含まなくてはならない。生物的生命も既にそうであるが、人格的生命になると、自分の過去と未来を単に含むのでなく、それを自分の前に出して自分と対立に見るのである。本当の人格的生命は今日の私と昨日の私を対立的に見るばかりでなく、他人と自己も対立的に見るのである。私のよく言うように、私は汝に対立して私である。汝が無くては私は無い。汝に対立することに由って自分が有る。他人無しには自分は無い。世の中に自分一人だけなら私は無い。人格は他人の人格を認めることに由って私の人格となるのである。これはカントが力説した点である。カントの言うのは抽象的ではあるが、人格はただ一つ有るのでは無い、結び付くところに人格が有るというのは真理である。そこで初めて独立的なものが結び付く世界が考えられる。人格的生命の世界は歴史の世界であると考えられる。歴史の世界は人と人との結び付きの世界である。それが歴史の世界で、歴史の世界は最も具体的な世界である。主観的客観的、時間的空間的という世界が人格の世界である。これが歴史の世界であると考えられるものである。だから本当の我々の世界というものは歴史の世界から考えられている。

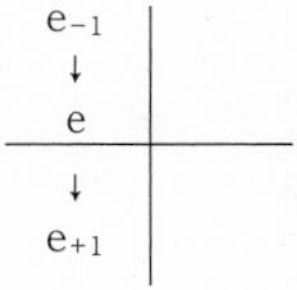

e_{-1}
↓
e
↓
e_{+1}

世界を考えるとき現在というものが何時も土台になるのであり、現在を考えると空間的なものから考えることになるから、世界を物質を基礎にして考え、世界の根柢は物質であると言う考えの生じて来るのも無理ではない。そうしてそういう物質から我々の生命が考えられると言うが、実は本当の世界は人格的生命の世界から考えられていると思う。物理学的世界は、かえって歴史の世界が中心になって考えられて来るものである。例えば西洋の歴史の中世時代にコペルニカスとかガリレオなどが地動説を唱える前の天動説の時代――日本も維新前まではそうだったろうが――の人々は自分等の世界を中心として天が動くと考えた。ところがコペルニカス、ガリレオが地動説を唱えこれが天文学の考えとなった。これは現在の人間の歴史の知識の発展として考えられるのである。現在の我々の考えている知識が何百年の後果してどうなるかはわからない。何時でもその時代の人がその時代の歴史の世界で考えているものである。

私の子供時代に教わった物理では原子が七十幾つで、原子は壊したり分解したり出来ぬと信じていたがしかし今日はそうでは無い。原子はエレクトロンであって、一瞬間に現れて変るものもあると言われている。原子が壊れるものであるということになった。これが今では更に進んでいる。ボーアの物理学はまだわかるが今の物理学は現象を数学の式で表すようなものになり、物質は波動だなどということになった。これは常識ではわからない。これ等は皆現在の人間の歴史の世界がきめてゆくのである。

昨日の続きを話します。

昨日お話したことの要点は、我々の実在界と言っているものは普通に空間的時間的だと考えている。そういう世界はどういうような構造を持っているか。空間と時間がどうして結び付くか。それは空間と時間と分れたものが結び付くのでなしに、矢張り空間は時間的、時間は空間的で、つまり現在から考えられる。我々の実在の世界は何時も現在と考えられる。現在というものはどこまでも横に拡がったもので空間的と考えられる。と同時に現在は単にそれだけなら現在にならぬ。単に幾何学的の世界になってしまう。物理の世界でも矢張り時間的でなくてはならない。時間的であるとは単に過去から未来へと直線的に考えられるでなしに、何時でも現在の中に過去が、過ぎ去ったものとしてある意味において含まれている。また未来は未だ来らないものであるが、これもまた現在に含まれている。かように現在から過去未来が考えられ、空間が考えられるというのが要点である。

昨日図でお話したように、図のような風のもので、何時でも現在というものから過去未来が考えられ、横に過去現在未来を含む空間が考えられる。こういう風な現在の構造でもって世界を考えるのである。それで縦に考えてゆく方は即ち時で、横に現在に含まれているという方において空間的である。

これが縦・直線的、横・円環的である。

主観――心――個物――時間

客観――物――一般――空間

という風に考えると現在というものは何時でも主観的であり客観的である。物とも考えられ心とも考えられ、一般とも考えられ個物とも考えられる。空間とも考えられ時間とも考えられる。これが世界の最も根本的な形である。どういう世界を考えても必ずこういう型に由って考えねばならない。だから単なる主観

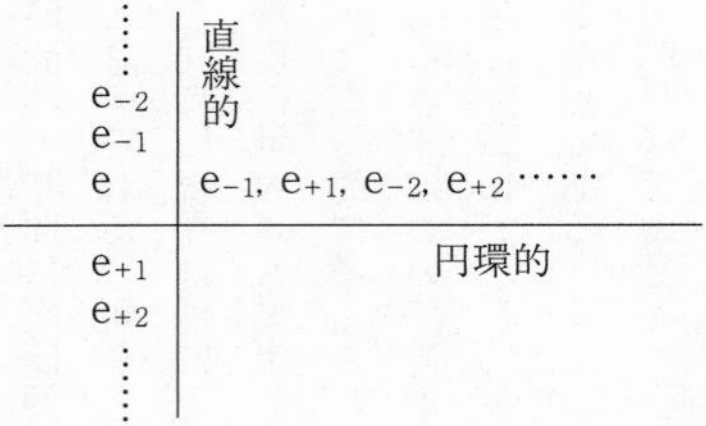

直線的

……

e_{-2}

e_{-1}

e $e_{-1}, e_{+1}, e_{-2}, e_{+2}$ ……

円環的

e_{+1}

e_{+2}

……

的の世界はない。単に主観的で客観の無い世界は夢の世界のようになってしまう。また主観の無い単なる客観の世界は、唯物論者の言う物質の世界の如きものは、頭では考えられるが実際の世界としては無い。

この前に言ったように物理の世界でも時間が無くてはならない。時間は縦に主観的に考えられねばならない。もちろん現在が現在自身を限定するという意味で色々の世界が

考えられる。物質の世界も生物的生命の世界も考えられる。しかしそれは主観の方面を十分に認めない世界である。これはつまり、時を本当に認めない客観の方へ偏した世界である。それでは主観が客観に附属して考えられている。本当の現実の世界は主観と客観に結び付いた、主観的であると共に客観的、客観的であると共に主観的である。私の書物によく言う一般的であると共に個物的、個物的であると共に一般的、直線的であると共に円環的、円環的であると共に直線的である。それがいわゆる歴史の世界である。これが人格的生命の世界であると言ってもよい。

だからして我々が世界を考える場合、元来どこから考えるかというと、何時でも歴史的現在から考えるのである。この言葉をはっきりつかんでもらいたい。歴史的現在の世界から何時でも世界を考える。歴史的現在は主観に傾いたものでなく客観にもかたよらない。主観的客観的なものである。其処が歴史的現在である。

現在は色々の意味に考えられる。

普通に現在と言うときには客観の方を主にして考えている。例えば、私が現在と言うときには、先ず宇宙を物質の世界から考え、宇宙は物質からきまったと考え、それから現在を考える。物理学者の世界とはそれである。この物理学者の世界を普通の人は現在と考えている。暦の現在は全く客観から考えた現在で、物理学的な天文学的な現在である。それは太陽系に結び付けて現在を考えているのであろう。しかし昨日も言ったように、我々が今日太陽系に結び付けて考えている現在は今日の物質的宇宙観から考えている現在である。つまり現在の歴史の立場から宇宙を考え、その宇宙観から逆に現在の歴史を考えている。我々は現在の歴史の世界に居る。それから客観界を考え、物質を考え、現在を考える。我々の足場から客観的世界を構成し、それからまた現在を組織している。

だからしてこう言うと非常識のように考えられるかも知れないが、昨日も言ったように、我々は太陽系に由り時を考えているが近世物理学に達する前のガリレオやコペルニカス以前の中世紀の人はそういう風には考えていない。これもその時代の歴史から現在を考えたであろう。キリスト教徒なら神が現在を造ると考える。これは主観的に考えられた現在である。しかしこれも矢張り歴史に結び付けて現在を考えているのである。今日では神が無くなったと考えるが実はそうではない。今日でも我々は今日の歴史の世界に立って考えているのである。今後何百年立つとどうなるかわからないが。現今の物理学でも本当の時の前後はきめられぬとなっている。アインシュタインの相対性原理では時は自分の居る処に由って違うとなっている。

それでは歴史的現在とはどんなものかという事を今度はきめなくてはならない。歴史的現在はつまり我々の働いている世界である。主観が客観になり客観が主観になる。主観と客観との何時も結び付いているところが何時でも我々の現在と考えるところである。つまり主観は時間的であり、時間的なものが空間的になり、空間的なものが時間的になる、そういうところである。

だからして、何時でも歴史的現在というものは我々の外に見るものが内であり、内に見られるものがまた外に見られるものである。それはどういう事であるかと言うと、つまり自分が何か働くということである。自分が働くとはどういうことであるかというと、自分が物になることである。例えば私が水瓶を動かす、物が動いたという時は私が自分を否定して物になった時である。また、向うに有る物が私を感ぜしめる、それは物が私になるという事である。だからして何時でも我々の現在は主観客観としてまとまった世界である。そういうところが何時でも中心になって世界が考えられているのである。

こういう様な事ばかり言っても抽象的でわかりにくいかも知れぬから一つの具体的な例をとって話そう。例えばギリシアの社会を考える。ギリシアの社会は主観客観のまとまった一つの統一を持っていた。ギリシア人は世界というものをギリシアの神話というようなものではじめに考えていた。つまりこの社会というものはギリシアの神々が支配していると考えた。オリンポス(Olympus)の神々の中で、ゼウス(Zeus)の神がその主領になっている。それから自然現象を説明し社会制度を説明した。始めは何の社会でも神話的であるが、その神話で一つの民族が統一されて社会をつくり、主観も客観も統一されていた。それが段々発展して哲学が出来た。ギリシアのプラトンの哲学もアリストテレスの哲学も神話から発達したものであった。それは今日でも我々が基礎にしなければならないような立派な哲学である。がしかしアリストテレス、プラトンの哲学はギリシア人の持っていた神話の精神をどこまでも合理化し哲学化したものである。一寸簡単に言ってみると、ギリシア人の考えは総べて形の有るものを実在と考えた。だからして今日のヨーロッパ人の考えとギリシア人の考えとは違っている。空間的のものを実在だとギリシア人は考えた。その空間と言っても今日の物理学で言うような空間でなしに、我々にとって直覚的な空間と考えた。それに由ってギリシア人の総べての生活が統一されていた。知識も感情も意志も社会も皆それに由って統一されていた。そういう社会が何時も中心になっていたのである。だからしてギリシア人はそれにしたがって総べての世界観を考えていた。

ところが近代のヨーロッパ人の考えは全く違ってしまって、社会の制度、宇宙観がギリシア時代とは違っている。だがしかし現在から考えねばならぬという中心が有って現代なら現代というものがまとまっているのである。言わば常識のようなものが歴史的現在というようなものを我々にまとめていると思う。ただ我々の学問上の道理法則から現在の社会がきまっているのではなく、現在は何時でも我々が生活し活動しているところである。其処には社会としてまとまったものがあり、それは社会の常識として考えられているものである。それが現在である。ギリシア人にはギリシア時代の社会がありその中でギリシア人は生活していたのであった。それを中心に過去未来を考え、時間空間自然界を考えた。ところが現代はそれとは違っている。その違った現在から考えているのである。西洋歴史の時代は、ギリシア時代、中世キリスト教時代、現代と大きく分けられるがギリシア時代はギリシア時代としてまとまった文化を持ったものであり、ギリシア人はその中で生きていた。中世ではキリスト教が中心になりその中に総べての人は生きていた。中世時代の人は、社会を考えても、現今のヨーロッパ人が考えるようには考えなかった。現代はすべてを現代的に考えるのであるがまたこれは変って行く。つまりこれが歴史である。歴史というものが時代から時代へ変って、その時代時代で一つの現在が考えられて行く。

例えば東洋の方で考えてもそうである。日本の昔の社会でもその始めに神話が有り日本の特別の社会がまとまっていた。それに由って主観客観が統一され其処から総べてのものを考えていた。それが変って歴史が移って行った。それが他の文化と混るときには我々の生活の足場が動き、違ったものが出来てくる。即ち世代から世代へと変ってゆくのである。其処から現在が考えられてゆくのである。無論それはただ変ってゆくというのでは無い。ギリシア時代はギリシア時代としてまとまり、キリスト教時代はキリスト教時代としてまとまったものであるが、キリスト教時代はギリシア時代を含み、また色々の新しい要素がはいって一つの時代が出来てゆく。近代になると更にそれ等を含み違った新しい時代が出来て来るのである。だから学問というものは決して歴史の世代を離れたものでなく、皆その世代において考えられてゆくものである。

そんならばと言って、何処にも単に変っていくだけであって其処に何等の永遠不変のものは無いのであるかと言うとそうではない。何時でも歴史の世界の形式の中で変って行くのである。だからある一つの歴史上に現れたある一つの社会は縦に伸びた社会もありまとまった社会もあり横に拡がった社会もあり色々の社会がある。しかし何時でも横のものと縦のものとひとつだという大きな社会のうちに合まれてい、その中に互の関係を持っている。だからして歴史というものでは何かまとまった一つの世界がある。其処が何時でも中心になっているのである。

これを全く今の物理学のように世界を考えれば、それでは単に空間的のものからのみ考えることになるが、空間的のものはその実は何時でも現在の社会から考えられているのである。それで昔の人は今日の我々の考える自然科学というようなものは持っていなかった。しかし昔の神話の中には自然科学も含まれてい、社会の制度法律も含まれてい、道徳も含まれている。我々が今日まで発達して来るということは、神話的といえば主観的であるが、この単に主観的に偏した世界が次第に客観的になることである。がしかし客観的になっても何か主観的なものが含まれている。だから現今のヨーロッパ思想のように全く客観的、空間的になっても、矢張りイギリスはイギリス、ドイツはドイツ、フランスはフランスというように縦に時間的のものが何時も中軸になって、英国なら英国民の社会、ドイツならドイツ国民の社会、フランスならフランス国民の社会というようなものが成り立っている。何時でも縦のものが軸になってそうして横のものとひとつになり、其処に一つの現在として社会が出来ている。

で、私の書物の中に言っているゲマインシャフト、ゲゼルシャフトというのはテンニス(Tönnies)[4]という人に由って言われ、今の社会学では有名な言葉になっている。ゲマインシャフトは共同社会、ゲゼルシャフトは利益社会という風に訳している。我々の社会は何時でも縦と横という風に、つまり言えば主観と客観から一つの社会が出来ている。この主観と客観が結び付いたものが共同社会である。ゲマインシャフトは歴史的に一つの民族の結び付いた社会に発達したもので、始めは家族というようなもので個人と団体がひとつになっている社会である。ゲゼルシャフトはそれが空間的になったものである。

歴史は色々の社会から始まるが単に縦ではなく縦のものと横のものというところから始まる。ゲマインシャフトに対して横に結び付いた社会が出来る。それがゲゼルシャフトである。歴史の社会が全く横になると物質となる。縦のみであると物質の世界は消え社会は本当に発達しない。横だけであるとまた社会は発達しない。社会には何時も縦と横がある。時間的であると共に空間的、空間的であると共に時間的であるというところに社会は発達するのである。時間的に色々のものが現れ空間的になって社会が発達して行くのである。例えば日本の社会は始めは余程(よほど)横に関係の無い縦の直線的な社会であった。日本の国民はずうっとこの日本島におり何千年という長い文化を持っていた。支那とか朝鮮などと交渉が有ったが比較的縦であった。明治時代になって横の関係にはいって来た。ところがヨーロッパでは始めから横の関係で出来ていた。ギリシアは地中海の中の半島に位置し地中海の沿岸の色々の文化を持った民族の影響を受けてギリシア文化を作った。それからローマになると更に横が拡がって近代になって来た。東洋と西洋を見ると、東洋は東洋として直線的の文化であった。日本も大きく言うと東洋にはいるが日本も縦の直線的文化の社会である。東洋文化は東洋文化として発達し西洋文化は西洋文化として発達して来た。それが横に拡がって互に関係するのが現代である。

それだから我々の社会というものは何時でも現在が中心となる。現在は主観客観としてまとまったものでそれぞれの国の時代を持ち、それが互に関係すると世界の歴史が出来るのである。其処に世界的な歴史的現在が出来て其処から総べてのものが考えられるのである。例に由って話そうとして話が前後してわかりにくかったと思うが、話の意味をとってもらいたい。現在というものは主観的客観的である。その世界に色々の社会が出来ている。全体から言うと一つの現在にまとまっているがそれぞれ一つの中心が有ってその中心が寄ってまとまって世界歴史の現在が出来、其処から学問でも芸術でも社会道徳でも総べてのものが考えられている。

ところで縦のものは何時でも横から考えられる。そうすると絶対の世界を考えればどこまでも横が縦のものを含み縦のものが横になるという全体を含んだ世界になる。過去未来が総べてその現在においてある。それが世界的な現在である。ところがそのうちに色々のものが出来る。縦というもののうちにも色々のものが出来る。色々のものが歴史的現在というものにおいて含まれ色々に関係する。そうして歴史というものには色々のものが出来る。日本の歴史を考えても我々が現在と言っているものは時間的と空間的というもので考えられている。大きく考えると、世界は縦のものが横に含まれると考えられる。大きな現在は総べてを含む。その大きな現在が考えられるのであるが、日本だけを考えると日本として歴史を含んだ現在というものが考えられる。支那には支那としての現在が考えられる。それが大きな絶対の現在に含まれ其処において結び付いてゆく。其処に世界的歴史が考えられる。

だからこの主観客観の結び付きの工合でいろいろの文化の形が出来る。つまり言えば時間空間が結び付いているがその結び付き方に色々有って、其処から色々の文化の形が出来ると思う。物質の世界というようなものには色々の形は出来ず一様であるが、生物の世界には時がはいるからその時をどれだけ含むかということによって色々の形が出来る。色々に過去未来を含んで特殊の型が出来て来る。人間の世界にも色々の型が出来て来るのである。

私の書物の一番終に書いた論文の様に、西洋文化と東洋文化を比較すると何か根本的に違ったものがある。それを私は時間、空間というように分けてみた。あるいは主観的とか客観的とか言ってもよい事である。

西洋の文化はギリシアから発達した。ギリシアの前からも有るが第一に西洋文化の根源になったのはギリシアである。ギリシアの文化は幾何学的なもの空間的なものである。客観的なものを実在と考える。だからギリシアの文化には時というものは考えられない。時が全く無いというのでは無いが時というものを非常に無視したものである。ギリシアの哲学においてプラトンの哲学はギリシア哲学の頂点に達したものであると言ってよい。そのプラトンのエイドスに理念と訳した、英語では idea と言う。このエイドスを実在と考えたのである。エイドス(eidos)とはもと形のことである。ギリシア人は時において動くものは不完全なものである、動かない永遠不変のものが実在であると考えた。形は永遠不変のもので永遠不変のものが完全なものである。かかるものをギリシア人は真の実在と考えた。

それに比べるとキリスト教の文化というようなものは、余程歴史的なものである。つまり神が世界を造ったと考えるのである。これははじめから世界を時間的に考えている。しかしキリスト教的世界観は矢張り空間的な世界に結び付けて時間を考えている。やっぱり空間的な世界客観的な世界を考えているのである。現代の自然科学の世界は無論客観的な世界である。時間を全く無視するわけにいかないが、物理の世界は時間をなるたけ無視した世界である。そういう風に西洋文化は一体に大変空間的である。いわゆる客観的であると特徴づけることが出来る。そういう社会から総べてのものを考えてゆくのである。

東洋を考えて見ると、東洋文化で一番大きなものは印度と支那だろう。ところが印度文化は――我々も余程印度文化の影響を受けているが――全然主観的のものである。心というものが実在であると考えている。西洋文化はギリシアの昔から客観的で物を実在と考えたが印度文化は主観的な心を実在とする唯心論である。そうしてそれが何故時と考えられるかといえば、主観的なものは時と結び付いて考えられるからである。我々が普通に時を考えるのには、これを空間に結び付けて考える。物がどれだけ動いたとかどれだけ変じたという風に空間に結び付けて時を考えている。しかし純粋に時というものを考えると、時というものは無常とか生死とかいうことになると思う。で、始めから話したように時は直線的に考えられるが、直線的に考えられても過去と未来の考えを入れると結び付く。その結び付きの形として空間というものが考えられる。それで時は空間的である。時を空間に結び付けて考えると、時には変っても変らないものが考えられる。しかるに純粋に時を考えると単に時は消えて生れ消えて生れるということになる、即ち時は生滅とか無常とかいうことになってしまうのである。印度人の考えは万物を生死とか無常とかいうように考える。其処がギリシアと反対のものになり、ギリシア文化とは非常に違っているものとなるのである。ギリシア人は永遠不変のものが実在だと考える。プラトンのイデアのようなものは永遠不変である。変ずるものは不完全であると考えた。印度人は全く反対に、万物は生死である、総べてのものは無であると考える。印度人は万物の根源は無であると考えた。何も無いものから万物は生じまた無くなってゆく、無に帰ってゆくと考える。印度文化の系統をひいた仏教はこういう考え方である。

　支那の文化を考えても主観的である。客観的にものを考えずに総べて主観からものを考える。支那の儒教の根本になる天は一寸考えると客観的なもののような風に考えられるが、天道は人間から考えたもので天道と人道とひとつであるというのが儒教の考えである。ところが天道は天文学のように客観的に考えずに、人間の喜怒哀楽とひとつである。物の根柢に天を考えたのでは無く人間の根柢に天を考えたのである。主観の方向に天というものを考えたのである。

　そういう風に考えれば、西洋文化は大体有形を本にした文化であり東洋文化は無形を本にした文化である。西洋文化は知識を本にした文化であり東洋文化は情とか意とかの本になった文化と言える。日本文化を考えて見るとやっぱり東洋文化の型に属したものである。日本の文化を時を中心にして考えると矢張りそういう形を持っている。時というものは今まで言った形で、時は何時でも何か空間的でなくてはならない。空間をとり時を主にして考えると、時は瞬間瞬間に消えて生れる生死というものに考えられその根柢は無というものになってしまう、刻々に消えて生れるという考えになるかさもなければ時はずうっと変じ流れてゆくものというように考えられる。日本人の精神にもそういう傾向が動いている。日本人の気分というようなものは情的である。ただしかし日本精神の特色は創造的なところにある。印度文化のように瞬間瞬間に消えてゆく文化となると無の文化であり仏教の文化となる。刻々に創造してゆくというように考えると日本文化となるというように特殊付けられると思う。

日本文化は情的なもので情は流れるというような形に構成されている。瞬間瞬間が消えてゆき時が全く消えてゆくとなると印度文化となり、消えたものが生れて瞬間瞬間が続いてゆくと考えると日本

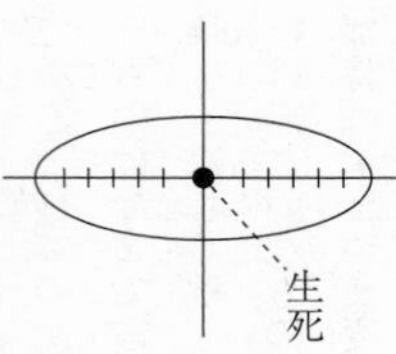

の文化となる。日本の国体は情を基調として続いている。情の統一である。日本の国体は情の固体である。ギリシアの文化は知的にまとまった一つの哲学的文化に由ってまとまった文化である。キリスト教的思想はキリスト教に由って一つの文化がまとまったものである。支那の文化も東洋的で主観的であるが、儒教においては礼に由って支那文化の統一が出来ている。日本の文化はそういう客観的なものではなく情的に流れている。どんな文化がはいっても同化して情的に流れて行く。他の文化をそのままに入れて、一つの形を失わずに統一してゆくところにその特色がある。

西洋文化と東洋文化を大きく区別すると、客観的と主観的であり、空間的と時間的、有形的と無形的というように区別することが出来る。色々な文化の違いが考えられるが

大別してこの二つに考えることが出来る。だから東洋には科学は発達しなかった。それは知的客観的にゆかなくては発達しないからである。それで東洋には発達しなかった。私の書物にこのような風に東洋文化と西洋文化について書いてある。西洋人の考えでは東洋文化は発達しない文化であって、発達すると西洋文化のようになると言っている。ヘーゲルのような色々のものを綜合する力をもった偉い哲学者も東洋文化が発達して西洋文化になると言っている(5)。西洋人は今日でもそう考えているだろうが、東洋文化は未発達な文化で、発達すると西洋文化のようになると言っている、がしかし私はそれは間違いであると思う。文化とか歴史とかいうものは、時間と空間、主観と客観が結び付いて統一し歴史的現在としてまとまらなくては発達しない。しかしその何処を中心にするかということに由って歴史や文化は違って来る。東洋文化は主観を中心とし西洋文化は客観を中心にしたものである。横に拡がった文化が西洋文化であり、縦を中心にした文化が東洋文化であるというように違うのである。この両方のものが結び付いたところに大きな世界文化が考えられる。将来の文化はそういうところにあるであろう。東洋文化は未発達であって発達すれば西洋文化になると言う如き考えは間違った考えである。東洋文化と西洋文化とはそれぞれ独立の立場に発達したものである。西洋文化だけでは必ず行き詰り、それは東洋文化を入れることに由って発達する。また東洋文化は西洋文化を入れることに由って発達する。西洋文化は東洋文化を東洋文化は西洋文化を、入れなくてはならない。そういうようにすることが文化の発達することであるが、一方が発達して他になる、東洋文化が発達して西洋文化になり、西洋文化が発達して東洋文化になるということは無い。ごくわかりやすく言えば絵のようなものでも西洋画と東洋画とは根柢に違うものである。東洋の墨絵でもそれが発達して西洋画になるというものではなく全く違うものである。また西洋画が発達して東洋画になるのでもない。西洋画は形を主にしたものである。東洋画は形の無いものを主にした芸術である。国家の組織も違っている。だが違っていればよいのではない。違うところには弱点がある。具体的なものは主観と客観が歴史的現在において結び付き主観と客観の統一したところに中心のあるものだから、その方向に進み、そこで結び付くということでなくてはならない。国家というものの組織でも余程東洋と西洋では成り立ちがちがう。これは何だかわかりにくかったであろうが大体そういうことになるのである。

終りにもう一つ人格ということについて言って置こう。

「人格」というこの言葉は、この言葉のために十分な意味が言い表せないように思う。普通の意味で人格というと直ぐにカントの人格という考えを思い浮べると思う。無論近代人の人格の考えはカントが最もよく言い表した。近代文化における人格の考えを一番よく言い表したのはカントであろう。カントの人格は個人的で理性的なものである。カントは経験的なものから人格を全く区別している。人格は経験的なものでなしに理性的なものである。そうして各人が各人の人格を持ち、即ち他人と自分というものが全く個人的に対立したものと考えた。無論カントは、他人の人格を認めることに由って自分も人格となるということは言っているが、そのカントの人格は個人的なものである。個人的と言っても肉慾的なのではなく理性的な意味においてである。

ところが本当の人格というものはそういうものではないと思う。人格は何時も歴史と社会とに結び付いているものである。人間はこの世界を離れて有るのではない。この世界を離れては考えられない。この世界を単に物質的世界と考えると物質的なものからは人格は考えられない。人格はそうした世界からは独立なものである。人間はもちろん人格で物質ではないから人格は主観的であることが特徴で、個物的時間的で縦の意味を持ったものでなくてはならない。縦のもので横と違ったものと考えられなければならない。しかしこの世界を今度話したように主観的客観的、時間的空間的なもの、一が多、多が一であると考え、それが歴史的現在であると考えると、その世界における個物と考えられるものが人格である。この個物は歴史的社会的である。この世界における単に空間的なものとして考えるでなくまた単に時間的なものとして考えるのでなく、歴史的・社会的なものとして人格を考えるべきである。でないと人格は世界と離れたカントの言うような内容の無い抽象的なものとなる。

日本語に訳すといけないが人格という言葉は面白い言葉である。person というこの言葉はもとどこから出たかというと、ラテン語の persona からであって persona とは舞台へ出て役者の被る面のことである。つまり芝居をやるときの役者の役割というようなことである。元来そういう言葉であったものが今日の意味に変って来たのである。そういう原始的なもとの意味にかえして見るところに本当の意味がある。我々の歴史の舞台に出て働く役者、それが人格である。そう考えた方が本当なのだと思う。

それで我々の道徳というものはどこから出て来るか。我々は歴史的現在に結び付いている。歴史的現在は単なる主観でもなく客観でもない、単に精神でもなく物でもない。つまり主観客観の結び付いた世界である。主観が客観であり客観が主観である。その主観的方面に人間の人格が現れる。歴史的現在に何等かの役割を持っているのが人格である。主観客観の結び付いたものである、歴史的現在の社会はある方面に動いてゆくものである。その社会は時間的空間的であるが、時間的であるということは現在が何時も過去未来を含み、ある一つの方向に動いてゆくということである。その動いてゆく方向が人間の目的となるのである。人格の持つ内容は社会的に持っているこの目的からきまって来るのである。どう動いてゆくか。理論的に言えば社会は時間的空間的、主観的客観的であると言わなくてはならないが、しかし実際に成り立つ社会は主観に偏したものであるか客観に偏したものかである。だから主観から客観へ客観から主観へと動かなくてはならない。それが動いてゆく方向が社会の目的である。全体が動いてゆく方向が世界全体の目的になる。それが世界歴史の動いてゆく方向で、総べてその方向に国家も動いてゆかなくてはならない。

そこで宗教と道徳というものは離すべからざる関係を持っている。世界全体が方向を持っている。過去未来が絶対の現在に含まれている。其処に絶対の社会があって世界歴史の方向がある。それが世界の使命である。世界歴史の動いて行く方向の目的というものを神とすれば、其処に宗教というものが認められる。それを宗教とすると道徳は宗教と離れられないものである。道徳の根柢には絶対の世界歴史の方向があり、それが認められて現在の我々にくっついて来るところに道徳があるのである。カントの人格は理性に従うことだと言った。カントは人格は理性に結び付いたものであると言ったが、それは空虚であって其処には何か内容が無くてはならない。カントも自分で自分の道徳論は道徳の形式を言っているのだ、と言っているが、道徳が単なる形式であるならばそれでもよいが、人格の内容は其処から出て来ない。本当の道徳には内容が無くてはならない。

歴史的現在の方向が主観的方向に結び付いてそこに道徳が成り立って来なくてはならぬと思う。

私の書物に「永遠の今」ということを言っているが、永遠の今というのは、過去未来が総べて現在に含まれているということである。歴史は永遠の今の自己限定から成り立つというのはそういうことを言うのである。プラトンや中世哲学で言う永遠の今は時を離れているが、私の言うのは時を離れたものでなく現在が過去未来を含むということを「永遠の今」と言うのである。

歴史的身体

（昭和十二年九月二十五、六の両日　長野市女子専門学校講堂において）

私の考えは随分長い間の考えであるので、色々に変って来たというように言ってもよいのだが、実はまた変らないと言ってもよい。私は初めに『善の研究』を書いた。それ以来今日までかなり長い年月を経ている。そうして色々に変化しているが、根本の精神は『善の研究』に既に芽を出して現れていると言ってもよい。しかし『善の研究』のような考えをどこまでも論理的に考えようというのがこの十年以来の私の努力であって、『善の研究』で初めて自分が考えたようなことを本当に学問的に練上げるには、従来の論理ではどうも十分よくいかない。そこで、一つの新しい論理が無くてはならない。そういう論理を工夫しようと努力したのである。西洋の論理はギリシア人の論理が、プラトン、アリストテレス以来、ずうっと今日まで基礎となってきた。それに依り西洋の思想が基礎づけられているのであるが、どうも東洋思想というようなものは、つまり我々がその中に育ってきた思想、例えば仏教のようなものは、それでは基礎づけられぬものである。しかし東洋思想を論理的に基礎づけることは非常にむずかしく、なかなかできないことであるが、東洋思想をどこまでも学問的に考えるには、それを基礎づける新しい論理がなくてはならない。たしかこの前、この会で一つの論理の形をお話したと思う。大分前ではっきり記憶していないが、例えば、時間と空間、一般的限定と個物的限定というようなことの論理について多分お話したことと思う。「弁証法的一般者」あるいは「場所の論理」というような考えが、そういうことを基礎づけるための論理である。その論理はなかなかむずかしくて完成されたとは自分でも考えない。そういう考え方の端緒を拓いたくらいにしか考えていないが、しかし何分論理の完成ばかりをまっていては限りがないのであって、一昨年くらいから、論理を決して離れるではないが、我々に直接な、『善の研究』で考察したような日常の体験に帰り、そこから出立してこの問題を考えて見ようとするようになった。そこで、昨年の『思想』に載せた『論理と生命』(1)の辺からお話して見よう。

すでに三十年近く以前に考えた『善の研究』と、ただ今の考えとは違っているのであるが、『善の研究』で述べた純粋経験というものはつまり我々の日常の経験から出発したものである。それは我々の日常の経験である。普通に経験科学というようなことをいうが、経験科学となれば、それはすでに学問化されたものである。しかしその以前の直接な思想の細工を加えないものが基であって、我々は其処（そこ）から出発し其処へ帰らねばならぬ。『善の研究』ではこの純粋経験は何であるかということから出発して一種の世界観人生観を考えたわけである。だから我々の日常の体験から出発したと言ってよいのである。それと同様に今度もう一遍日常の経験から出立しようと思うのである。しかしそれは論理と関係が無いわけではなく、それが全くこの十年来考えてきた私の論理と結付くのである。そういう風に、論理にしたがって考えた一つの世界と、我々の日常の世界とが完全に結付き、全く一つのものにまでならなくては哲学の使命は果されない。論理で考えたものが日常経験と離れたものであっては何の役にもたたぬ。今日はもう一遍我々の日常の経験というものから考えてみよう。そういうところから私のこれまでの考えが生かされてくるであろうと思う。

それで先ず我々の日常の経験というものはどういうものであるかを考えて見よう。我々は色々な学問を考えるのであるが、それは哲学というようなものを考える場合であっても同様で、皆我々が生きている日常の世界から離れたものではない。哲学とか色々な学問とか宗教とか芸術とかいうものでも、日常経験から出立して要するにまた其処へ帰ってくるものに外ならない。この日常経験というものがどういうものであるかというと、それはつまり我々が働く世界のことである。実際我々の生きている世界は、我々が働いている世界である。ところが働くということはどういうことであるかというと、働くとは物を作ることである。つまりそういう我々の日常経験の世界は歴史の世界であると言っていい。これまでの多くの人は、この世界というものをあるいは物理学的に考えあるいは心理学的に考えるというような風に、ある学問の立場から世界を考えてそれが本当の世界であるとし、考えられた世界から我々の生きてゆく、働いている世界を考えてこれを説明しようと努力した。先ず我々の現実の世界とはどういうものであるか。我々はこの世界に生れこの世界において働きまたこの世界において死んでゆく、また我々の後に子孫が生れてその世界において働きその世界において死んでゆくのである。世界は我々を生む世界である。それを簡単に言うと歴史的世界である。これまでの多くの人の考え方は、色々な自然科学とか精神科学とかいうものを考え、それに依って考えられた世界からこの現実の世界というものを考えようとした。あるいは自然科学的に考えあるいは唯物論的に考えて物質を世界の本質であるとしたり、あるいは世界の根柢は精神であるとして唯心論となった。しかし唯物論や唯心論の立場というものも、現実の立場において我々が考えるところから生じて来るのであるから、その前に我々の現実の世界日常の世界が何であるかをよく摑んで見なければならない。そして其処から学問、道徳、宗教などの立場を考えていかなくてはならない。我々の最も平凡な日常の生活が何であるかを最も深く摑むことに依って最も深い哲学が生れるのである。

それで今言ったように、我々の日常生活は我々が其処に働いている世界である。働くとは私は広い意味で言っているのであるが、働く世界が現実の世界である。総べてのものの考え方、たとえば我々がどうするかというような方向をきめるにしても、これが真理だとか我々はこうすべきであるとか考えるにしても、常に現実から出立しなくてはならない。現実は即ち働く世界である。働かないとするのは夢の世界で、現実の世界ではない。また物質の世界には人間の働きは全く無く、したがって其処には現実の世界は無い。物質の世界は同じ法則に依って動いている世界であって現実の世界ではない。物質の世界が実在界であると考えられているが、それは現実の世界から物質が実在であると考えているのである。物理学についていえば、物理学者が実験をして物質をかくかくであると説明する。そういうときはいつも現実の実験がこの説明の出発となるのである。そしてそういう現実は働く世界である。

それでは働くとはどういうことであるか。働くとはただ我々が思うことではなく、実際に働くとは物を作ることである。我々の働きは総べて制作的でなければならない。制作ということが余程重要なことであると思う。働くとはよくただ主観的動作だけに考えられる。我々が手を動かすとか足を動かすとかいうように主観的動作であると考えられるが、制作は動作の結果となって客観的に現れなくてはならない。例えば大工が家を造るには、大工の動作が客観的に実現して家が形作られなくてはならない。そういう大工の動作ばかりではなく、無形なものの場合であっても皆同じである。私の働くとか制作と言うのは広い意味で言うのであって詩人が詩を作るのも制作である。一体制作とは芸術家の用いる言葉で絵を描くときあるいは彫刻を作るときに制作という言葉を用いる。彫刻家が塑像を作るときなどに最も制作という言葉が使われる。制作とは芸術家の仕事を考えると一番よく当てはまると思う。それでこういう芸術家の制作というものは無論芸術家自身が主観的に働かなくてはならない。芸術は芸術家自身が働かないで出来るものではない。よく、芸術は作為してはならない。ある天来の感興から出来るものであり、知らず知らずに出来なくてはならない、仕事が自然的でなくてはならぬとか、また一種のインスピレーションから出来なければならぬとか言われているが、ただそれだけでは、ただ感興が涌いたというだけでは、制作にはならない。主観的にそういうような働きがあれば、物としての制作品がそこに客観的に成立し存在しなくてはならない。それには芸術家が主観的に働くだけではなく、客観的に物から働かされなくてはならない。主観と客観の

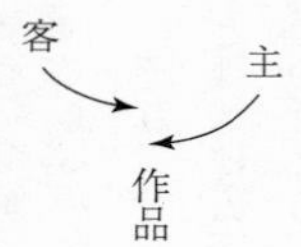

対立から言うならば、主観から働かなくてはならぬが、それと共に客観からも働かなくてはならない。主観と客観の相互作用から芸術が成り立つのである。

そういうようにして芸術家によって作られたものは芸術家自身から離れた客観的なものになる。其処に重要な意味があるのである。作ったものは芸術家の主観的理想のあらわれであるが、単に芸術家の理想が現れただけのものでなくそれは客観的なものであって、逆にそれは客観的に芸術家を動かしてくるものであると言わなくてはならない。自分で作ったものであるが自分のものではない、それは公のものである。例えば大工が家を造るのに、大工が家は造っても大工だけのものではなく公のものである。公という言葉を注意してもらいたい。公のものであるとは、客観的のもの、天下の公共物であるということで、自分が作ったものであるが逆にそれが自分に対して働く、また他の人に対しても働くのである。家は大工が造ってもそれは大工のものではない。大工のものにもなるが大工を使って造らせた人の家である。しかし出来上ると造らせた人のみのものでもない。その人から買った人のものともなる実在である。その家が続いて在る限り天下の公共物として実在するのである。つまりそれは歴史的世界のもの、歴史的事物である。だからして働くということが制作的であるということはそういうことを意味していて、自分の働いて作ったものが、自分の作ったものでありながら自分のものでなしに公のものとなるのである。働いた結果が自分から離れて独立する。私が物を作る、物は私に作られたものだが私を離れて独立し、逆に私に働く。物は私が作るがその物は公の物となり、つまり歴史的事物となり、それに依って私自身が変化を受ける、即ち私自身が作られてゆくということになるのである。ものを作るとは、自分が作られることである。そうでなければ働くということではなく、たとえ自分が働いたと思っていても、働きの結果が無くては夢を見ているると同じである。働く結果とは何か。自身が働いて作ったものだが自分のものではなく、公のもの、歴史的事物となるということである。

このようにして我々の働きが制作的でなくてはならぬということは芸術家の創造作用、創作を考えると最もよくわかる。がしかし総べて我々の働きはそういう性質を持たなくてはならない。それがなくては我々が働いたのではない。我々が物を作る、物は我々に作られたものであるが、我々に作られたものが我々を作るのである。だからして我々は作ることに依って作られているのである。それを深くどこまでもつき進めて考えれば、つまりそういう世界というものは、我々が物を作るということは我々が作られることであって、そういうことは即ち我々が其処から生れる世界があるということである。これまでの人が世界を考えても、世界は自分に対立しているものとばかり考えているが、本当の世界は我々が作ると共に我々を作る世界である。我々が作ることにより我々が作られる世界であるから、我々が其処から生れる世界であると言ってもよい。

それで現実の世界は我々が働く世界であり、我々が其処に生きている世界である。生きているとは働くことであり、働くということは制作するということである。現実の世界は制作の世界である。我々が作ることによって我々が作られる世界である。つまりそれは歴史的世界である。そこで、今まで言って来たことで一通り話の結末が着いたのであるが、私は物を作るということから出立し、つまり自分というものから出立してお話して来た。即ち、自分が生きているとは働くことであり、働くとは制作である。そこから現実は制作であると言った。そこでもう一遍今度は逆に今言ったことを深く吟味して、私が働くということはどういうことであるかと考えてみる。その問題は非常に重要な問題になってくる。つまり我々の自己というものがどういうものであるかという自己の問題になってくるのである。

我々が働くということを、すぐにものを考える意識的のことであるとすると、それは自己と世界とが対立的になることであって、自己から総べてのものを考えていることになると言ってよい。しかし我々が働くとは、総べて制作的でなくてはならないとすると、我々が働くということは単に自己から意識的に考えるということにはならない。これまでの一般の考えのように、主観と客観がどこまでも対立的であるとし、主観が客観になれず客観が主観になれない、精神が物体になれず物体が精神になれないとすると、働くくことは制作であるということはわからなくなる。今言ったように働くとは制作的でな

主——客

くてはならぬとするならば、制作とは主観が客観になって物を作り、作られたものが作るものを作るということであるから、主観と客観を互に対立させる考えからは制作の意味は不可能となる。そこで自己というものが問題になるのである。近世哲学はどこまでも主観から出発したものである。近世哲学が主観主義個人主義と言われるのは、それが主観から出発したという理由によるのである。例えば近世哲学の元祖と言われるデカルトの「我考(おも)う、故に我有り」という我から出立したのである。我が有るということは動かすことができない。我があるということを疑うならかえってそこに疑っている我が有るのである。

しかしもし主観と客観が互に対立しているなら制作の意味は不可能である。自分が作ったものに依って自分が作られるとか、作られたものが公となるとか、歴史的事物が我々を動かす、というようなことは出来ない[2]。デカルトの後に哲学上の大きな問題となった精神物体相関論が出て来、ゲーリンクスやマールブランシュのオッケイジョナリズム(occasionalism)というものになり、精神と物体は直接に関係するものでなく神が媒介するものであるという説とか色々な無理な説が出たが、それは主観と客観を対立させる

立場から出立したので精神と物体の相互の関係の説明が困難になったためである。それはつまりそういう立場からは説明できないということになるのである。そういう立場からは制作などということは言えない。そこで私はこういうことが問題になると思う。これは従来あまり問題とされなかったものであるが、我々の身体というものが余程究明されなくてはならないと思うのである。

どうもこれまでの哲学では身体というものの問題が十分考えられておらぬと思う。身体について色々な考えがこれまでもあるが、生理学的に考えるもの、生理学からもっと科学的なものになろうとして生命を機械的に考える機械論などもある。しかし身体を哲学的に考える考えは未だ無かった。デカルト学派の精神と身体についての考えは非常に重大な哲学上の問題となったが、それは身体自身を考えるのでなく精神と身体との相関関係を考えたのであって、身体そのものを問題にして考えたのではない。ところが現実の世界は我々が働く世界であると考えると、身体が重要な意味を持ってくる。制作のためには身体が無くては不可能である。大工が家を建てるには身体を通さなくてはならない。彫刻家が彫刻を作るのにも身体がなくてはならない。詩人が詩を作るのも皆身体的である。我々が普通考えるように、身体が無くては我々の自己は無いのである。近世哲学の唯心論は、自己から出発し、自己からすべてのものを考える考えであるが、しかし我々は身体無くして自己があるとは考えられない。常識と学問とを対立させて、常識ではこうだ、学問ではこうだと言う場合もあるが、しかし一体学問は日常の我々の生活即ち現実生活が基礎になっているのであって、学問の上に現実生活が有るのではなく、事実はかえって逆である。身体無くして自己は無い、身体の死は即ち自己の死であるという考えは常識にあるのであるが、そのように、生きるには身体が無くてはならない。しかしながらそれとは逆に、身体は即ち自己であるとして自己と身体を一つにしてしまう考えも本当ではない。もしそうならば我々は要するに機械のようなものとなってしまう。自己が有るから身体が有り、逆に身体が有るから自己が有るのである。そういう我々の身体を哲学的に考えてみたいのである。

一体身体とはどんなものか、どこに身体というものがあるか。かえって古い時代の哲学者の言っていることに身体についての面白い意味があると思う。ギリシアのアリストテレスの『動物学』であるが、これは専門生物学者でも近来になって重んずるようになったのであるが、今まで多くの人がそれを読まなかった。科学者生物学者というような人々からは古いものとして捨てられて来たものである。一寸(ちょっと)横道であるが、アリストテレスの書いたもので直接哲学に関係しているものは、今日までひろく読まれて来たのであるが、そのほかにアリストテレスは、心理学、生物学、動物学、物理学、天文学なども書いている。その物理学などは中世まで勢力を持っていたが、近世になってからは、ガリレオあたりからは一般に捨てられて、空間的非実験的なことを言うのに「それはアリストテレスの物理学だ」とさえ言われるくらいになった。しかし今日読むと非常に面白いものがある。多くの人はアリストテレスの物理学などは読まない。近代の科学の進歩はたしかに貴重なものであるが、それは一方の方向へ発展したものというべきである。しかし捨てられたアリストテレスの書いたものにもなかなか面白いところがある。アリストテレスは医者の家であったので解剖なども自分でやっている。ダーウィンは手紙に「フランスのキュビエー[3]は偉いがアリストテレスも偉い」と言っているが、流石にダーウィンのような人はアリストテレスに着眼している。アリストテレスは体のようなものができてゆくのに、時の順序と本質の順序とは逆だと言っている。(本質には、ロゴス、理、言葉、という意味もあるが、アリストテレスは本質、理、ロゴスを一つに考えていた。)例えば人間の体は火水土風というような化学的元素から成り立っている。しかし筋肉とか骨とかいうような組織はただ化学的なものだと考えては説明できない。第一には火水土風という四つの化学的なエレメントから成立しているが、組織はただエレメントの結合ではない。分析すると元素となるが、組織はただエレメントではない。更に鼻とか眼とかいうものはただ組織ではない。骨や筋肉は元素の結合であるだけではなく組織であり、更に鼻や眼になると、骨や筋肉のような組織だけとしては説明できない。それには何等かの機能(function)があるとアリストテレスは言っている。こういうようにアリストテレスが言っていることに依って生命というものが説明できると思う。我々の肉体が生きているとは機能的であるということ、機能を持っているということである。機能のあるところに本当の生命があるのである。

ところが組織とか機能とかいうものはどういうようにして説明できるかということについて、アリストテレスは本質というものを考えている。本質はやっぱり形相であって、形相とはどういうものであるかということはギリシア哲学をやった人はよくわかるが、ギリシア人は総べて物を形相と質料とに分けた。これはギリシア哲学の根本概念であって、近代において総べてを因果関係で考えるのとは違う。この水入れは瓢簞のような形をしているがガラスから出来ている。コップもガラスから出来ている。水入れとコップは質料はガラスで同じであるが形相がちがうのである。それは質料が同じで形相がちがうのである。生物の体ができるには形相がなくてはならない。ただのエレメントは質料である。エレメントの結合は質料的結合であるが、それが機能を持ってくるのは形相が加わるからである。その形相は宇宙を構成する理、ロゴスである。物が出来るのは時の順序では、初めに物質があり、物質が集って組織が出来、機能が出来たと言うのであるが、その物が出来るためには本質が先ず第一に無ければならない。この形相が働くことから機能を持ってくるのである。これは我々の身体を説明するのに面白い考えである。ところがアリストテレスは『動物学序論』にこう論じている、我々の世界には形成作用というものが働いていると。牛の頭に角ができるのはどうしてであるかということを知るために、エレメントを如何に研究してみても物理学的化学的に説明はできても何の意味も無い。機能があって始めて意味があるのである。機能のあるのが生命であり生物体である。生命とは何かというと何か機能のあるもの、機能的なるものである。こういうことはアリストテレスが言ったことで大変面白いことであるが、最近死んだ人で英国のホルデーン(Haldane)という生理学者がある。もちろん一流の生理学者で色々と学問上貢献した人であるが、この生命を説明して(アリストテレスのとおりではないがアリストテレスのような考えである)、生命は形である、きまった形である。例えば私の体は新陳代謝しているが、私の形が永続している間は私が生きている。そういう形には何か機能的なものがあると言っている。形と機能とは一つのものであるという morphological〔形態学〕の考えはホルデーンにもあって、アリストテレスの古代にのみ限られていない。機能ということから我々の体を考えると、よく説明が出来、体を広く深く考えてゆけると思う。

それでは機能とは何であるか。機能は何か働かなくては無い、働かないところに機能は無い。ところが、働くということは何か其処に目的がなくてはならない。その目的は何処にあるか。目的はいわゆる世界との関係においてある。生物が生きてゆくということは、つまり世界を形作ることである。生物が生きているとは、つまり生命が環境を形作ることである。これまで生命を考える人は環境を考えに入れなかった。生命が形作ると言っても時間的に色々なものを作ってゆくのだと考えて環境を考えない。しかし生命は環境なくして生命ではない。環境は生命なくして環境ではない。環境と生命とは対立し、生命は環境ではなく環境は生命ではないが、環境なしに生命はなく生命なしに環境はない。生物は何かを食って生きてゆくのであるが、その食物は環境である。食物は物質であるがその物質が生命を養う。生物が物を食して消化して筋肉にするのは生命が環境を形成することである。私の胃は一つの機能を持たなくてはならない、その機能は消化ということである、我々の体は機能的でなくてはならない。機能的とは生命的であることであり、生命的とは環境を生命化すること、環境を形成することである。環境なくして生命は無い。この考えを徹底してどこまでも考えてゆくと、これまで我々が体と言っているのは、生理的、動物的、生物的な身体を体と言っているのである。そして何処に体というものがあるかというと、今言ったように一つの機能にある、生物学的機能を営むからそこに我々の生物学的身体がある、その考えをずうっと推し進めてゆくと、我々の体というものの意味はこれまで考えられた生物学的な体の意味だけでなしにもっと拡げてゆくことができる。

例えば、我々が物をしゃべる言語の機能というようなものもやっぱり一つの機能である。それで、言語というものも一つのいわば言語学的身体の作用の中へ入れなくてはならない。体を離れて言語は無い。ものを考えるには言葉がなくては考えられない。今日我々が持つような発達した言葉でなくても、何か符号的なものがなくては考えることができない。符号に依ってその意味を表現しなくてはならない。動物でも極く高等なものになると表現を持つと言うことができる。体を機能を持つものと考えるとそういうところにまでいかなくてはならない。また、制作は体と結付かなくてはならない。新たなものを創造するのは体である。歴史的なものも人間の体が生み出すものである。そうなると人間の体は制作的身体となり、機能は制作をやる制作的身体の機能となる。人間が制作的であるということは身体的であることである。身体的であるということは、その機能をずっと言語まで延ばして考えてみることが出来る。

昨日に続いてお話します。

昨日は身体というものについてお話したのであるが、普通には何かこう身体というものが特別に有るように考えられている。例えば身体という物体があるように考えられておるけれども、しかし身体というものは機能というものから考えられなければならぬ。働きには色々な働きが考えられるのであるが、しかし機能というものはただ物理学的とか化学的とかいう働きではない。つまり言えば、何か目的を持った働きなのである。しかし目的を持った働きということは、つまり全体との関係においてそのものがどういう風な位置を占めるか、位置を占めるとは、全体との関係においてどういう仕事をするか、ということである。例えば体の例をとってみても、我々が普通にいう生理的な体の例をとってみても、手なら手というものは私の体において、体全体の関係において、どういう仕事をするか。もっとわかり易く言えば、我々の胃なら胃は体の全体の一部分であるが、胃の持っている機能はどういうものであるか。体を全体と考えその中に胃というようなオルガン〔器官〕がある、そういう胃の機能は何であるかというと、体全体に対して胃がどういう働きをするか、どういう仕事をするか、ということである。全体の一部分であって、そうしてそれが全体の一部分としてどういう仕事をするか、そこに機能というものがある。それが一番広い意味の機能ということの意味だろう。で、そういう風に考えて、身体というものが機能的だということは、身体というものがそれの一部分であるところの全体において、どういう働きをするかということだろう。今機能ということの意味をわからすために、我々の普通の生理的な体の一部分である胃についてそういうことを言った。そういうようにして機能の意味を表したが、我々の体そのものは、いわゆる世界、歴史的な世界においてどういう働きをするか。その全体との関係において持つ体の働きが即ち体の持っている機能ということになると思う。手というものでは直ぐに外界との関係になるから胃について言ったが、手の持っている機能は即ち我々の体と全体との関係ということになってくる。それで我々の体に手というものがあるということは、我々の体というものが単にいわゆる生理的なものではなくして、もっと大きな意味を持っておるものであるということが言えるであろう。無論人間以下の動物にも手があるが、動物の手は我々が普通に言う肉体が生存してゆくというだけの関係のものである。我々の体においては、手は外界との関係においてもっと違った意味がある。動物体では手というものはただ動物の生存というだけのためのものである。ところが手というものはそういう動物的身体の意味を持つと共にもっと進んだ意味がある。それは手から制作にゆくということである。人間が手を持つのは我々の体が単に動物的身体でなく、もっと進んで制作的身体であるという意味を持つということである。我々の手が制作的であるのである。

人間の手は普通何でもないものと考えるが、手というものをよく考えてみると、手は非常に面白い意味を持ったものである。我々の色々な考える働きは、綜合とか分析とかいうものであるが、綜合分析は発達してくれば頭で考えると普通には言っているが、実は初めは手から段々綜合分析というものが発達して来たものと思う。手というもので物を分けるとか、また手で摑んで一緒にするとかいうように、色々の智力というものは手から発達したと思われる。言葉が発達するとそれで智識の世界が表現されるが、しかし初めは手というものの働きであったと言える。で、これも昨日お話したアリストテレスの『動物学』に言っていることで面白いことであるが、昔ギリシアの古い時代の哲学者にアナクサゴラス(Anaxagoras)があって、アナクサゴラスの物理学(どんなものであったかわからないが)というものがあり、ソクラテスがそれを読んだとプラトンが書いてある。このアナクサゴラスは、人間は理性的である、だから手を持つ、と言っている。動物にも手があるが、動物の手は普通の肉体の一部分であるのに、人間の手は非常に智的なものである。アナクサゴラスは、人間が手を持つということは人間が理性的なものであるからである、理性が人間の本質であるからである、人間が手を持つのは人間が智的であるからであると言うのである。ところがアリストテレスは逆に、人間は手を持っているから理性的である、理性は手を持つから発達したと言っている。これはよく色々な書物にひかれている。そういうように手というものを考えてみると、手は人間の体の一部分であるが、手が有ることに依って人間の体は単に動物的では無いということになるのである。

昨日初めに、人間の働きは制作的でなくてはならないと言ったが、制作は手の働きから出て来なくてはならない。色々なものを考えるのには手の働きがなくてはならない。人間を定義するのに色々の言い表し方がある。先ず第一には、人間は homo sapiens であるという。homo とは人間、sapiens とは智識的ということで、人間は智識的だというのである。人間を動物と区別して人間は智識的であると言うのである。ところがアメリカのフランクリンは、人間は道具を作る動物(tool-making animal)であると言っている。これは手を持つということと同じである。よく homo faber ということを言うが、faber とは物を作るということである。だから人間の体というものを考えてみると、色々の機能から体というものはきまってくる。それから今言ったように人間の体はただ生物的ではなくて、つまり制作的である。それで、手ということを言ったが手よりかもっと進んで、人間が話す言語というようなものはやっぱり我々の体の働きで、言語の持つ機能から我々の知識の世界が開けてくるわけである。

そこで、我々の体ということは、全体の歴史的世界において、その世界の一部分として、部分たるものがなしとげる仕事から、部分たるものがどういう仕事をなしとげるか、ということからきまってくるものである。そこで、我々が自分の体というものを知るということは、何かやはり制作ということから知ってくるのだと思う。体があって物を作る、それはそうに違いない。しかしそういう考えは、やっぱり昨日言ったように、個人的意識から、自分の意識から出発して考えるから、体が在って自分が体を以て体を使って作ると考えるが、しかし体がどういうものだかともう一遍深く考えると、体は機能的である。機能的であるとすると、何か働きがなくてはならない。働きには動物的身体の働きもあるが、もっと進んで、歴史的世界的の働きとしての制作の意味にまでいたらなくてはならない。其処から考えると、制作というものから我々の体というものがわかってくる。もう少しそれを詳しく言うと、自分の体は動かなければこれが自分の体であるということはわからない。何等かの動作をしなくてはわからない。しかしただ動作というものから自分の体がわかるのではない。何か制作をするのでなくてはならない。道具を使って物を作るというように発達しなくては自分の体はわからないのである。例えば、手の運動とか足の運動とかいうものがわかってくるためには、それが道具のような作用をするからである。我々が体というものがあって、それを用いて色々な物を作ると言うが、それは後からの考えであって、先ず初めに体がわかるのは、制作的な事実から、道具を用いて物を作ることから体がわかってくるのであると思う。そうすると普通の考えと逆になりわかりにくいが、そこに身体の真理があるのである。初めに人間は本能的に色々なものを作る、動物でも本能的に色々なものを作るのである。大工のように自分の巣を作る海狸などもあるが、先ず体が在って物を作るということがわかる前に、それとは逆に、即ち体というものが知られてくる前に何か本能的に既に物を作っている。それが制作に発達してくると、手が物を作るようになり、それから言語というものに発達してくる。言語は初めには身体的に発達すると思う。それから翻ってみて自分の体が段々わかってくるのである。自分の体の中から自分の体がわかるのではなくして、外から自分の体が段々わかってくるのである。それはどういうことであるかと言うと、つまり、体というものが世界に対して持つ機能というものから段々体というものがわかってくるのであると考えられる。それで普通に働くことが制作的であると言っても、働くことは個人的意識から始まって、個人的意識が体を使って外に働いて何か物を作ると考えている。しかしそういう風に、個人が物を作ることができるということの前に、その個人というものが全体的世界というもののある機能を持つ機能的なるものであると考えなければならない。

主観が客観を動かすとか客観が主観を動かすというように、主観と客観とが対立しており、その相互関係から物が出来ると考えると、あるいは精神と物体が全く違ったもので絶対的に対立するものであるとすると、一方が他方に関係することはできない。しかるに世界は生きたもので、そして一つの方向に自分自身で動いてゆくものである。つまり世界には自分自身で動いてゆく世界の動きの方向がある。その方向に対する機能、その世界の動きに対して部分部分が持っておる機能、それに依って身体を持った我々人間が成り立つのである。一寸言葉がわかりにくくなったが、つまり世界というものは一つの創造的なものである。そうして、我々の体というものはその世界の創造的要素である。言い方が混雑したが、つまり歴史的世界は創造的世界(creative world)であると考える。普通には世界というものは何時でも同じ法則に支配されていると考える。唯物論的にものを考える人は、物質の法則は永遠不変なものであり、この物質の世界に何か新しい物が生じてくるように考えるが、それは何時も同じ法則に支配されていると唯物論者は考える。唯物論者と言っても近頃のマルキシズムのいうところの、史的唯物論、弁証法的唯物論は、自然科学的な十八世紀あたりの唯物論とは違うのであって、マルキシズムの唯物論は物質が同じ法則に依って支配されているというのではなく、弁証法的に動くというのである。普通の唯物論は一つのものが出来ても、何時も変らぬ同一の法則に支配されていると考える、すると歴史の世界は無い、創造的な世界は無い。歴史の世界は作るものが作られるものであり、作られたものがまた物を作るという世界である。昨日言ったように、作られたものが作るものを作ってゆく世界である。それが創造的な世界である。

一寸横道にはいるが、私は、世界は歴史的世界を根柢にして考えねばならぬと思う。現実に働く世界から出立しなくてはならない。現実に働く世界は歴史的な世界で、其処から自然科学も考えられるのである。それは、作るものが作られたものに作られる世界であって、作るものが作られたものに作られてゆく、というようにして動いてゆく世界である。そういうようにして動いてゆくのが歴史的現実の世界である。だからして世界の根柢となる世界は歴史的世界で、それは創造的世界である。創造的世界と言うと何か宗教的のものに考えられてしまうが、しかし決してそうではない。物理学者はそうは言っておらぬが、私の考えから見ると物理学的世界も創造的世界というものになり、歴史的世界が本当の世界だということに、今日の物理学なども段々なってゆくのではないかと思う。

一寸全体の筋からしては少し横道であるがもう少し続けてお話する。

これまでの一般の考え方は世界の根柢をあるいは精神と考えあるいは物質と考えて来

た。普通の人々は世界の根柢は物質であると考える。それにはもっともな理由がある。誰が考えても我々が生れる前に世界がある。人間の前に動物の世界があり、動物の世界の前に物質の世界がある。歴史的世界は物質の世界から段々発展して来たと言うのは今日の科学から考えて極めてもっともな考えである。しかしこの頃物理学がまた進んで来て、量子力学というものが出て来た。先頃四、五月頃であったか日本へ来たデンマークのボーアという人などはこの量子力学の首脳のようになっている人である。今の物理学は昔の物理学のように外界を認めない。主観的な我々の精神というものを考えれば、それに対して外界というものは精神と関係の無いいわゆる外界となる。今日までの物理学の考えに依ると、人間がいてもいなくても、つまり主観が有っても無くても客観は在るのである。光なら光というものがエーテルの振動であると昔は言った。物理学者がそういう実験をしてもしなくてもエーテルの振動というものはちゃんと在る。つまり観測者(observer)が物を実験するとか観察するとかいうことの有る無しに拘らず、物理学の法則に支配される物質の世界は在る、とニュートン頃までの物理学は考えたのである。それを今では、量子力学に対して古典的物理学と言っている。今日の物理学者からは古典的物理学は捨てられたようなものになっている。今日の物理学では巨視・微視というようなことが言われている。一寸横道にはいるが、それはどういうことであるかと言うと、此処に物が在る、この物を観測するのにはこの物に何か変化を与えなくては観測できない。此方から働きかけなくてはそれが働いて来ない。此方から働きかけなければ働いて来ないからその物がどんな物であるかわからない。この物（水入れ）が硬いか軟いかは働いてみなくてはわからない。観測するにはこの物（a）に何か衝動を与え動かさなくてはならない。その動いたところ（b）からその物を知るのである。ところがこれまでの物理学というものは、我々が観測しなくてもその物は在ったのだと言っている。天体の観測をやるのに此方で観測したことに依って天体が大きくなったり小さくなったりするようなことは無い。星は星として在って、観測したら大きくなるとか小さくなるとかいうことはない。観測に依って星そのものが変るということはなく一定の運行を続けていると考えていた。しかし今日では物理学が進んできて量子力学などのように精密になってきた。私共の若い頃の物理学では物質は原子即ちアトムからできており、アトムは決してこわれないものだと言っていたが、今の物理学ではアトムはこわれるものである。アトムには電子と原子核とがあると考えるようになり、以前はアトムを最小なものとしこわれないものとしたが、今日では更に進んでアトムの中の構造まで観測するようになった。こうして観測したために物が変るのだという事は観測を離れて本当の世界はわからないことになる。今の物理学は極く微細なものについて研究するから観測するときにその物は既に変ってしまう。エレクトロンの動きを見るにはエレクトロンとエレクトロンというように同じ物をぶつけてみる。何か変化を与えないとわからないのでそういうようにして変化を与える。しかし変化を与えた時には既にその物は変ってしまう。巨視・微視はそういうようなものである。昔の物理学では大きな物をみていたからその物は此方の観測に依って変らぬので観測しなくてもその物は在ると考えていたが、今の物理学では微細なものを見るから観測すれば変ってしまうのである。観測しなくてはわからないが観測すれば既にその物が変ってしまうから、観測は歴史的事実である。歴史的事実の世界に結付いて観測は考えられなくてはならないというように言わなくてはならない。学問はこれまで、自然現象の学、精神現象の学、というように違ったものと考えられて来たが、そういうように歴史的事実の世界に結付いて物質の世界が考えられねばならぬならば、何百年の後かはわからぬが、後には実在は皆一つのものに考えられるようになりはせぬかと思う。ボーアは今の新しい物理学の元老だが(今ではもう一歩先に進んだ人もある)、ボーアは次のようなことを言っている。もとは生物学と物理学にははっきりした区別があったが、量子力学が発達してから両者は一つになる、心理学と物理学とも一つになるものである、と言っている。これはたしかにもっともなことである。

私は歴史的世界は創造的だと言った。しかしそれは宗教の創造というようなものではなく、歴史的に変ってゆくということである。観測に依って物質の世界は変ってゆくから物理学の世界も歴史的世界である。歴史的事実は創造的であって、創造とは変じてゆくことである。物理の世界も変じないではなく新しく創造的に進んでゆくが、何遍も同じ形を繰り返すことができるところが物理の世界というものになると思う。一寸横道になったが、創造的世界などと言うと、宗教家が世界は神の創造したものだと言ったことのように考えられる虞（おそれ）があるから、私の創造的、歴史的世界というものとして物理学的世界も考えられてくるということを言ったのである。歴史的世界というようなものはそういう風に創造されてゆく世界である。創造されてゆく世界ということは次のように考えるとよいであろう。創造とは何も無いところから作るのではない。無から作り出されるのが創造であるとするのは昔の考えである。創造ということについて色々の人が言っているが、今日の哲学では創造についてのはっきりした考えは無い。創造と言うと直ぐに、神が作る、無から有が出る、というように考えるが、歴史的世界の創造はそういうものではない。ベルグソンは「創造的進化」ということを言っている。ベルグソンの創造は時間であって、時間は無限の過去から未来へ流れるものである。一瞬一瞬に新たになってゆく。時間は一瞬の前へも帰れない無限の過去から未来への流れである。これは私の考えに近いが、しかしこの考えは世界を主観的に考えたもので歴史の世界ではない。

内面的主観の世界である。客観はベルグソンの考えの中には含まれない。だから空間はベルグソンの考えには無い。この前、直線的・円環的ということをお話したが、空間は円環的同時的なものであって、この考えがベルグソンの中には無い。ベルグソンは空間を言うのに緊張と弛緩ということを言い、時間即ち純粋持続のゆるんだところが空間であると言っている。これは苦しい説明であって、何処からゆるむことが出てくるのかわからない。現在我々が働く世界が在る、それは作られたものであるがまたそれは作るものになる、そういうようにして作られたものがまた作るものになる、即ちそれは制作的である。きまったものがまたきまらないもので、自分自身を否定して動いてゆく。我々の身体を考えるとそういうものである。ベルグソンの生命は身体のない生命なのでずうっと直線的に流れてゆくと考えられる。上の意味をたとえていえば我々の身体のようなものである。現在の体は作られたものである。まあ言えば生れたものである。この体が作られたものでありながら作ってゆく、自分の体を超えて子孫というものを生んでゆく、つまり作られたものが作るものである。それが創造の世界である。我々はそういう世界の一つのエレメントである。我々が動物の世界生物の世界を考えるにも、歴史的世界を根柢として其処から考えてゆかねばならない。その歴史的世界は創造的なるもので、人間はその歴史的世

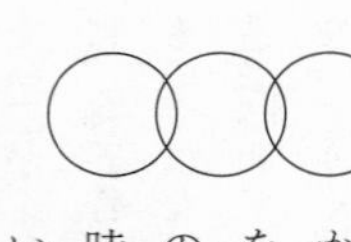

界の創造的要素である。だからして我々の世界は創造的である。その創造的世界の一部分・一要素として働くのが我々人間であると言うことができる。つまり我々は体を持っていることから、歴史的世界の一つのエレメントとして我々が物を作ってゆくことができるのである。そうして歴史的世界の要素として創造的主体となるところに我々の生命があり、本当の自己というものもある。そういう人間の行動が制作にほかならない。制作は身体的でなくてはならない。身体的自己はただ身体に依ってあるのでなく、歴史的創造的世界の要素として制作も可能となるのである。創造的に進むことを離れると、主観的になるか、意識的になるか、抽象的になるか、物質的になるかする。それは人間の滅亡である。

それで、人間の社会というものと個人というものとの関係も其処から考えていかなければならない。私の言う体を説明するには普通に言う肉体から考えなければならない。しかし肉体が身体的であるというのは、生物学的な身体を考えていると理解されてはまちがいである。体はただ体だけであるのではない。体は世界に対して一つの機能を持つことにおいてあるのである。体の形は世界から離れてあるのではない。創造的制作的な歴史的世界を離れて体も意識的自己もあるのではない。体は一つの歴史的世界の機能を為すときにあるのであり、その世界は創造的形成的である。だから社会というようなものも、身体をどこまでも延ばしてゆけば、身体的な性質を持った歴史的身体ということができる。

今此処で社会の存在の意味まで十分話せないが大体においてどう考えてゆくかということだけお話しよう。動物学で種(species)ということを言うが、それが動物学の術語としてどういう意味を持つかということからは離れて考えてみよう。人間の体は機能的である、機能的とは何か形作ることである。生物学からは、我々の生命というものは細胞のようなものに依って成立すると考えられる。人間の細胞は人間を形作り、ほかの動物の細胞はほかの動物を形作る。種とはそういうように形作るということであって、種は形とか相とかいうように言うことができる。字から見てもギリシア語の eidos は物のすがたとか形とかいうことである。それでは形作るとはどういうことか。それは外界の刺戟に対してどういうように反応するか、外界に対してどういうように働くかということである。人間の細胞からは人間ができ、猿の細胞からは猿ができ、犬の細胞からは犬ができる。これは形作ることであって、歴史の形成作用もそういうように形成し製作するものである。歴史は形成的製作的である。アリストテレスは色々の物の体ができることを、自然の製作、自然が製作する、と言っている。アリストテレスは動物の体のできることを「自然が製作する」と言っている。もっと進んで言えば、外との関係において働くことも形作ることである。ある一つの種がきまるのはその生物がどんな風に働くか、その働き方の模型というようなものに依って定まるのである。例えば、ある動物はこういう刺戟を与えるとこう働くが、他の動物は同じ刺戟に対してこう働くというようなことから種がきまってくるのである。ギリシア語にパラディグマという字がある。それは働き方ということで、働き方が種をきめるのである。機能は形作ること即ち形成作用である、形成作用には色々の形成作用がある。人間とか動物とかいうように個別的に異なるが、その根柢にあるきまった形成のしかたがある。だから生物学者の研究しているところは、人間なら人間のきまった形成作用、きまった働き方なのである。形成作用は人に依って異なるであろうが、人間には何かきまった根本的形成作用がある。根本的形成作用が異なるものであるならば、それは人間ではない。プラトンのイデアというものもそういう根本的な形である。プラトンは、人間は人間のイデアを分有することに依って人間であると言っている。例えば人間の眼というイデアを分有することに依って眼であると言うのである。このように分有されるもとの完全な形がプラトンのイデアである。生物の働き方に依ってその生物の一つの種ができてくるのである。

　これは動物の世界について言ったのであるが、歴史の世界では人間の肉体は単に肉体的ではない。手が既に単なる肉体的なものではなく、いわゆる製作的歴史的形成的である。言語までそこに入れて考えれば人間の肉体はまた理性的であるとすら考えられるものである。それは人間の歴史的身体の一つの働き方である。社会もやはりそういうようなものである。社会の発達のためには製作とか言語とかいうものの発達がなくてはならない、製作とか言語とかいうものがなくては社会は成り立って来ない。社会が如何にして発展するかということは色々と長い問題になると思うがつまり言語とか道具とかいうものを使用することが社会の成立するもとになってくる。言語とか道具とかいうものが無くては社会は成立しないのである。言語とか道具とかいうものを使用するのは歴史的身体が働くのである。その歴史的身体は特殊な働き方をするものである。我々の生命は歴史の創造的要素として社会的生命である。我々の生命は生物として肉体的生命であり肉体を離れて生命は無いが、また歴史的身体を離れて生命は無いと言わなくてはならない。歴史的身体は言語や道具を持つ身体で、それは社会的生命である。それを離れて我々の生命は無い。それで、社会というものは丁度生物の種というものが色々あるように色々違っているものである。人間は人種に依って身体的にちがうところがあるであろうが、社会は歴史的身体の働き方により色々に違っているものである。それらは歴史的に発展して来たものである。我々は創造的世界の創造的要素として歴史的身体的な働きの立場から色々のものを作ってゆく。歴史的身体的社会がもとになり、そこから我々は色々のものを作ってゆくのである。作られた物、創造された物は歴史的事物となって創造したものを動かしてゆく。人間の社会には色々の種、即ち形成作用があらわれる。生物の世界に色々の種があるように歴史の世界にも歴史的種があり、歴史的種が歴史的身体の基礎となり創造をしてゆくのである。そういうようにして創造された物はまた創造するものとなるというようにして動いてゆく。日本の社会は如何にしてできたであろうか、日本の社会が一つの社会として成立したときに日本的な歴史的な身体的社会ができたのである。それは一つの創造的使命を持ったものである。創造されたものからまた自分が創造されて、変ってゆく。それはどこまでも出来たものでありながら出来ないものであり、作られたものでありながら作るものである。作ることによって次の物が出来、それからまたその次の物が作られてくるのである。日本なら日本、支那なら支那の社会がある。それ等は歴史的身体的社会であり、歴史的種である。色々な文化を持った民族はそれぞれ歴史的種である。その歴史的種が創造することによって総べてのものが関係し発展してゆくのである。関係するのは創造されて出来たものが公の物であるからである。日本人の生産した物は日本人を動かすが、生産された物は公のものになるから支那をも動かし、また支那の生産したものが日本を動かすということもあるであろう。こうして歴史的世界は創造的になって動いてゆくのである。

今度述べたことは「歴史的身体」ということが題目である。それはこの前の話で弁証法的論理として論理的に述べたことと変らないことである。この前に述べたような論理的な世界を日常的体験的な立場から考えるとこうなるのである。創造的世界は矛盾的なものである。精神は時間的であり物質は空間的である。時間と空間、精神と物質は互に矛盾し結付かぬものである。しかし世界は時間的であると共にまた空間的である。互に矛盾して結付かぬものが結付いてゆくのが創造的世界である。生命というものはまた矛盾的なものである。矛盾するものが結付いているのが生命である。この事については更に書物について御理解願うことにしてこれで終ることにします。

宗教の光における人間

一、神と人との関係

宗教上の要求は生命の要求である。生命の要求は我々が精神生活の統一を求むる事である。精神生活の最高の統一を求めるということは、我々の最高理想に結付こうということで、即ち最高理想を実現しようとすることである。宗教の本質をかくの如きものと考うると、かくの如き宗教的努力の最高目的、即ち我々の精神生活の最高理想が神である。

神については前章に述べた。今度は宗教的関係から見た人間はいかなるものであるか。神と人間との関係はいかんということを考えて見よう。神を最完全存在者と考えると、人はこれに反して不完全なるもの、無力なものである。宗教的関係より見た人間は、不完全にして同時に救済を要求するものである。救済さるべきものである。物質的にか精神的にか。救済に色々程度がある。我々人間が自己を完全なるものと考える間、有力と考える間、宗教の必要はない。聖書に「富める者の神の国に入るは駱駝(らくだ)が針の孔を通るよりも困難なり」(「マルコによる福音書」一〇・二五)といってある。ヴィンデルバント(1)は宗教的感情を説明して曰く、それは規範意識と個人的生との間の関係が明かとなる時に起る。規範に対して自己の及ばなさを自覚することが、我々に救いなき無力感、救済への最も深き要求、即ち悔恨、懺悔、悔悟の感じとして現われる。一方においてかかる感じが起りかく驕慢を破壊すると共に我々の中に規範意識の第一の働きを感ずる。これが宗教的感情であるといった。

未開宗教にては我というのは精神物理学的主観であって、神はこれに対し物質上の幸福を与えるものとなって居る。クレールヴォーのベルナール(2)のいった様に、第一段階は神のために神を愛するのでなく、自分のために神を愛するのである。未開宗教の種々の儀礼は神にへつらう手段である。(儀礼は祈り、犠牲等。)かかる時代の人の不完全は物質上の不完全の意味である。神と人間との関係も外面的関係である。神と人間とは本質上結合しているのではなくして互に孤立している。しかし文化的意識の進歩と共に物質的より精神的に進む。即ち精神的不完全に進む。内面的関係に進む。

1不完全さの意味、救済を要求することの意味　2救済の意味　3神と人間との関係の意味、は文化の進歩と共に変じて行く。もちろん物質的より精神的にすすみ、外面的関係より内面的関係にすすむ。

人は宗教的不完全の意味を考える前に、すべて宗教は人間と神との親縁関係(Verwandtschaft)の考えが基礎となっている。その場合、関係が、外面的なれば神は我々の救主である。内面的なれば神は我々の本質となる。如何なる原始宗教でもこれがある。ロバートソン・スミス[3]は「宗教は神を恐れるより起る」というも、他面また「神と人間とは親類である。神の保護を受ける事より宗教が起る」といい、またティーレ[4]は、すべての宗教において神は我々の彼方にある Gott über uns という考えと共に、神は我々の中にある Gott in uns という考えのあることを説いている。この考えが宗教の成立する根本要件である。彼は神政的(theokratisch)宗教と神人的(theanthropisch)宗教とに宗教を分けたが、前者では、神と人間の関係は支配者と奴隷の関係である故、その間に神人の親縁関係はなき如きも、如何なる神政的宗教でも何等かの形で親縁関係の考えが伴う。イスラエルの宗教においては人間は神の姿によって作られたもので、神と人間とは同質である。ヤーヴェが人間の鼻孔に神の息を吹き込んだ(「創世記」二・七)。バビロニアの宗教でも創造主マルドゥック(Marduk)が人間を泥土からその中に彼自身の血をまぜて作ったと考えている。またどこにもある広く行き亙った神話であるが、人間はもと極楽にいた。しかるに罪を犯して堕ちた。従って人間はもとに帰って極楽に行かなければならぬという考えは神と人間の親縁関係を示したものである。

広く行き亙れる神話並びに宗教伝説の二つの集団、即ち極楽説話及び地上への神の降臨の物語は今いった親縁関係を示したものである。後者が前者によって要請せられて居る様である。多くの例についてはティーレの「宗教学〔序説〕」を見よ。

神と人間とは根柢に相通ずるところがある。神はその完全なる一極であり、人間はその不完全なる一極である。神と人間との間には内面的関係があり、人は神の対極である。かかる意味において宗教上での人間は罪の意識を担っているものである。罪の考えが宗教上大切なる考えで、罪の意識を如何に考えるかによって宗教の性質、浅深の別が生ずる。

宗教的光における人間は上にいった如く考えて見ると神と内面的関係をもったもので神の対極である。

それで宗教意識において神の信仰の反対物として現われるものは罪の意識である。

自然宗教では罪は有害なる物体と考えられた。例えば病気が代々伝わる事は悪霊の所為、または神の法則を破った結果より起るものと考えた。自然宗教には清めの儀式がある。これはかかる意味にて罪を除くためのものである。生、病、死、または血等も悪の世界に属するものとなし、清めらるべきものと考えた。しかしてかくの如き禍悪は一代に限らず子孫に伝わるものと考えられた(オルデンベルグ[5]「ヴェーダ」〔Die Religion des Veda, 1894〕)。(罪 Sünde という語は sühnen〔償う〕と同じ語源である。sühnen とはいけないものを取り去る事である。)

更に一歩進んで民族宗教になると、罪は我々に対して好意を有する神の命令を犯したこととなる。即ち神によって立てられた社会の秩序を破る、即ち法を破る事となる。ここにおいて罪の意味が道徳的になる。この罪を除くことはただ呪文にては出来ない。恭順なる祈願をなし神の慈悲深き赦しによるということとなる。そこで罪が精神的となる。旧い宗教には恭順なる祈願をあらわした讃美歌がある(リグ・ヴェーダ〔Ṛgveda〕の中に美しき懺悔の歌あり――プァライデレル)。聖書には罪に関し深き考えがある。預言者の時代には、罪は神に対する反抗、神の命令の背反である。神との同盟より離れる事である。これは外面的な神への奉仕によっては償うべきにあらず。我々の根本的な懺悔と改心によるべきものと考えた。罪は自由意志より起る。故にこれを改めるのは悔悟によるべきであると考えた。しかし一般の大衆はかく深き意味に考えなかった。罪は単に人間の弱点に基づく経験の事実として語られた。原罪の考えは後世の神学の考えである。ユダヤ国民がバビロニアに帰りし後、シュナゴーゲーにおいて宗教が機械的となった時、前の預言者の如き深き考えは衰えて、宗教的罪悪の考えを法律的に解釈し、それに対するだけの功徳や悔恨の苦しみにより償いうると考えた。かかる時代にイエスが出て来り、罪を全く内面的道徳的のものとした。聖書によるとイエスは、人は外より来るものによって汚されず、悪しき意思即ち心術によって汚されるとした。罪は全く心術の上のこととなった。パウロの罪の考えは、一方では罪は命令の違犯である。アダムが神の命令を破りし事より起ると考え、他方では肉に伴う違法的な欲望より起ると考えた。元来パウロの考えは常に二つの起源より来ている。一つはユダヤ、一つはギリシアの考えである。罪についての前者の考えはユダヤの考え、後者の考えはギリシアの考えである。罪を道徳的に考えたことはキリスト教に始まるのである。

印度宗教の罪の考えは、基督教とは少しく異って居る。印度の宗教は、元来汎神論にして我々が色々の不幸に陥るのは無知、迷いにもとづく。迷いと罪とは同じである。救いは迷いを去る事である。自分は梵(Brahman)なりと悟るにある。救いは真我(ātman)を知る事である。真我を知る事が救いである。我々の自己が迷いのもとである。この迷いより不幸が起る。

かかる教えは単に仏教に止らず、基督教においてもエックハルトの神秘主義はかかる考えを持っている。「ドイツ神学」(Theologia Germanica〔Deutsche Theologie〕)には「一切の悪の根源は自我、わがもの及び汝のものの内にある」とある。

罪は、汎神論的に考えた本質の不完全性即ち欠如の意味と、有神論的に考えた意志の自由に本づく悪意志の意味となる。罪を道徳的に考えたのは基督教である。(アウグスティヌス、カントは最もこの考えを明かにしている。)

要するに罪の考え方は四つある。

(1) 罪と禍とを同じに考えているもの。これは自然宗教の考え方である。

(2) 罪を肉であると考えているもの。罪は肉欲より起る。肉欲を悪と考う。これは新プラトン主義の考えであるがパウロの考えもこれに属する。

(3) 罪を迷い、無知に帰するもの。これは印度宗教の考え方である。

(4) 罪を道徳上の意味に考えるもの。自由意志ありて、道徳的意識の法則にそむくのが罪である。これは基督教の思想であってこれを明白にいったのはカントの宗教哲学である。

しからば如何なるものが罪に関する最も深き考なるかというに、自然宗教の如きはもちろん浅薄である。人間は必ずしも物質上の不幸がその人に不幸であるか否かは不明である。正しき人の不幸は尊ぶべきものである。決して不幸と神に対する罪の考えとは同一ではない。カントのいっている様に、真に道徳的人間に対しては物質上の不幸は不幸とならぬのである。次の肉を以て罪と考える考え方についても、肉は必ずしも罪ではない。良心をあざむいて肉欲を取るところに罪を生ずるのである。また無知より罪が起るということは出来ぬ。ただ単なる無知は罪ではない。無知は必ずしも最も賤しむべき事であるか否かは疑わしい。かく考えれば人が最も賤しむべき事、不完全なる事は道徳上の罪悪である。これが即ち我々の規範意識の否定である。一通りの考え方では道徳的罪悪の考えが真の罪であるということが出来る。

しかしなお一層深く考えて見ると、罪悪は何から起るか。罪は我々の反省的意識より起る。我々が物を反省してそこに自分を立てる事が罪悪の根源である。我があってその自由から罪悪が出るというが、既に我を立てる事そのことが罪悪の根本である。人が物を考うる所に罪悪がある。かかる考えが昔の宗教上の伝説にあらわれている。例えばアダムとイーヴが知識の木の実を食うと共に楽園を失うという堕罪の話、ギリシアの伝説にプロメテウスが天から火を盗み知識を取り来りたるために、コーカサスの岩に捕縛されて鷲に肝臓を食われ苦しむという話、これらは罪悪の深き根源を語るものである。神より我が分れたる事が罪悪である。分れた以上は如何なる事をするも罪悪である。全実在の上に自分の影を認める事が罪悪である。

我々の実在は自己発展の体系である。その全体そのものが自ずと分化して全体の意味を完成する。その分れるところが反省の状態である。この反省が罪である。しかし分れても根本に分れないものを有する。我々が、自分の分裂が本来統一の中に含まれている事を知れば罪にはならぬ。基督教のいう如き道徳的罪は深い考えであるが規範と反規範とを独立と考える二元論に基づく。しかし我々の罪が即ち恩寵であることを知れば罪は真の罪ではなくなる。かく考えれば仏教の迷いが基督教の罪よりかえって深い罪となる。これにおいて仏教の方が基督教より深いものとなる。我々は道徳上完成するのは不可能である。道徳的に罪を贖(あがな)うというならばそれは不可能である。そこで基督が我々に代って贖ってくれたという事が必要となる。しかしこれは歴史上の伝説にして、我々の贖いとは従来の罪は罪にあらずして神の行為である、ということを知る事である。即ち絶対他力的になって悪に対して責任を持たざるところに宗教上の救いがある。

我々の直接経験は自己発展の体系である。普遍者は自から分化する。これが反省の状態である。しかしその根柢には大いなる直観が働いている。罪はこれに対する反省である。

二、救済の問題

神が我々の最高の理想であり、すべての経験の統一点であり、人間はその反対の者即ち罪の担い手であるとすれば、宗教の目的はその罪人が、即ち神から離れたものが、神と結付こうとすることである。これが即ち救済である。それで宗教では救済がその目的である。救済とは宗教の最も重要なる問題であり存在理由である。

しかし真の救済、即ち我々の自然的存在の不十分なるところを解脱して、より高き生に入るという考えは、発達せる宗教において始めて現れるのである。自然宗教または民族宗教ではこの考えは十分に現れて居ない。これらの時代を経過し、各人がその人格性を重んじ、道徳的宗教的自覚が強くなって来ると初めて救済問題が起って来る。即ち人格宗教となる時に、個人が神性と結合し救済を得んとするに至る。初めの自然宗教の間は自己中心なるが故に救済という考えは起らない。自己の根柢は神である、我々は神から離れたものであるという理想宗教に至って始めて救済思想が生じてくる訳である。しかし救済の考えは宗教の内容によって変化する。同じく理想宗教においても、その理想の内容如何によって救済も異って来る。

救済の観念は、初めからは起らないで宗教が発達した後に起るのである。即ち人格的になった時である。故にどの宗教の発達を見るも、救済の観念は始めは狭い範囲に起り後に全体に及び宗教の支配的原理となる。ギリシアの民族宗教では密儀の盛んになりし時に救済の考えが起った。この時代にギリシアの従来の国教に満足せざる人は自分の精神を理想界に高める事を求めた。自分の世界を現実より理想の世界に高めるには、オリンピア〔オリュンポス〕の宗教に満足することは出来なかった。それは実際生活を離れたものであった。この時代の人の要求は、自分等と同じく辛苦し、自分の内にある神的生活力によって辛苦に打勝つ神に向って救を求めた。即ちコレ(Kore)、ペルセフォネ(Persephone)、デメテル(Demeter)、特にディオニソス(即ちこの世を忘失する感激、脱我を惹き起す者)に救を求めた。これらの神々に対して起った宗教は密儀の宗教である。

これは色々の秘密の儀式や、放肆な底抜け騒ぎをなした。この秘密の儀式について感ずる一種の戦慄、及び底抜け騒ぎにおける陶酔によってこの世界を離れて神の働きを経験し、一種の神的自由生活の内に身を移すと信じた。この考えは自然主義的である。しかしこれを求めたのは一種の救済の要求に基づいたものである。かかる救済の要求がプラトン哲学の中心となりしものである。プラトンの哲学はかかる救済要求を理性的にいいあらわせるものである。プラトンの哲学では我々の霊魂は元来イデアの世界に属しており、この世界に堕落したのである。従って本来の世界に帰る事が目的である。新プラトン主義もこの考えの発展である。かかる救済の要求は後に新プラトン主義者の宗教改革の試みともなった。これが中世の基督教神秘主義の基となったのである。

印度では、婆羅門教(Brahmanism)の禁欲主義や汎神論的神秘主義から仏教という救済宗教が生じた。婆羅門教の禁欲主義や神秘主義はギリシアのオルフィク教よりは過激であって、全く人世をすてて孤独の状態に入り、梵と一致するのである。極端なる救済宗教である。印度宗教の救済の目的は、自己感情をなくせんとするにある。精神を罪や禍悪の上に高めることにあらず。そのなくするとは、それによって精神を理想の目的に向けるのではなくして、なくするためになくするのである。自己及び世界を全一者へ止揚するのが目的である。即ち消極的救済である。仏教の救済観念も婆羅門教と同じである。

すべての禍悪の根源を無知に帰し、救済の根源を知に求めた(ドイッセン〔Paul Deussen, 1845–1919〕)。もちろん知とは普通の知ではない。ただし仏教の救済の考えは、婆羅門教の如く、自己と梵との一致という如き形而上学的思想を用いず、実践的である。存在に執着する故に苦悩が起る、これを脱するのが人生の目的である。

イスラエルの宗教は、預言者の時代より実践的観念論であった。神の国の考えは理想の世界にあるのではなく現実の世界において建設せられるものと信ぜられた。ユダヤの預言者は、神は他日恐るべき裁判によってイスラエルの悪き人を清め、これを世界各国民の上に置く日の来るべきを信じていた。しかしイスラエルの国家の衰うると共に、預言者の宗教は讃美歌作者の心の宗教(Herzensreligion)と変じた。救済の観念はこの時に起った。救済とは個々の信仰者が自分の個人生活の上に体験するものと考える様になった。これにおいて従来の如く神が地上に神の国を建設するという考えはなくなり、救済観念は外的救済より内的救済の意味と変った。しかしこの場合のユダヤの救済の考えは、印度のそれの如く消極的でなく積極的であった。信者がこの世に苦しむというのは、神が信者を試し、これを清めんとするのである。救済は個人的生活の上に起ると考えられたが、社会的意識を失わなかった。即ち神が信者を苦しめるのは、罪あるユダヤ国民全体を救うためであると考えられた。何処までも社会的である。イザヤに従えば、神の僕がこの世に苦しむのは、贖いのための犠牲であって民族の救済を得る戦いの代償である。マカベア族時代(Makkabäerzeit)ヨハネ黙示録において上に述べた救済の考えは、更に確実となり、殉教が全人民を救う手段と考えられた。もちろんこれはイザヤの言によれば、かくの如き殉教は人民を救うのみならずまたその人自身の幸福である。即ち死よりの復活の考えを生ずる様になった。殉教は復活である。またこの時代において、来るべき救いの時期は自然的地盤より超自然的地盤に移された。この様に救済の考えが洗錬されて来た。イエスはかくの如き時に生れた。かれは神の国を実現するのは未来であると考えた。しかしただ、神の国はこれを未来に期待するのでなくして、現在にてその予備が出て来ている。自分の言の種によって天国が予備されている。彼は弟子に向って、神の国のためにすべての限りある財産と自我の精神とを捨てれば、それによって天国に生れる事が出来ると教えた。即ちイエスは、死して生きよ(Stirb und werde!)と教えた。

イエスは自分の死がユダヤ人に特殊の救済の働きあることをいいしや否や明かならず。イエスの死によって、アダムが犯して以来人間に伝わる原罪が解かれたとの完全なキリスト教的救済説はパウロによって建設せられた。パウロはキリストの十字架上の死を、神が罪悪の世界を救うための手段と解釈した。イエスが死んだ事は我々罪人の代表者として、神に罪の贖いをしたと考えた。しかしてイエスが復活したのは、神が人間の罪を赦した事を承認したものであると考えた。しかしパウロはこの外に神秘主義的倫理的の考えをもっていた。パウロはかかるユダヤ元来の考えとともにギリシア哲学より得たる神秘的の考えを有(も)って居った。天にある聖霊なるキリストが故(ことさ)らに肉をとりて世に現れ、それが十字架上に死せしことによって肉が罰せられ、聖霊の力が復活によって新生と救済の力強い原理となり、肉は亡びて精神の復活する事がすべての人間を結合する力となって世界に働いた。キリストの受難を信ずるものはその力によって新しき力を得るのである。イエスより一つの精神的力を得たと考えた。キリストの自己献身を信ずるのが彼の死と復活の反復である。キリストの復活によって肉は亡び、新なる生命が生じ、キリストは私となり、肉体は神の宮居となる。

パウロの第一の考えはユダヤ伝来の考えにて、イエスの死と復活は罪人の代表者のただ一回の贖罪であるという考えである。第二の考えではイエスの死と復活は人間の道、即ち人間の道徳的精神が絶えず進歩してゆくその端緒と典型を現わしたものであると考えた。この第二の考えの方が真の救済の考えである。しかしパウロは律法宗教の方からこれに達した。

自然宗教では本来の救済というものはない。何となれば自己中心であって宗教は自己主張の手段であると考えているからである。理想宗教に至って始めて救済という考えが真に現われる。救済の意味は個人的自我を脱却する事である。心理的にいえば意識の中心を変える事である。自己の転換である。救済は消極的に見れば自己を捨てることであり、積極的に見れば自己の中に大なる自我を見出す事である。キリストの「死して生きよ」とか、パウロの「もはや我生くるにあらず、キリスト我が内に在りて生くるなり」〔「ガラテアの信徒への手紙」二・二〇〕とかいうのが救済の真相をあらわして居るものである。しかし従来の宗教は、救済の消極、積極両方面の何れかに傾きすぎている。消極的解脱は小乗仏教の救済観念の如きものである。その考えの結果は隠遁生活に入ることとなる。婆羅門の宗教の如く自我と世界を全一者へ止揚することとなる。しかし消極的解脱は救済の徹底したものでない。消極的解脱の根柢にはなお利己的要素が残っている。エピクロスは利己的快楽主義の結果隠遁主義を唱えた。消極的救済は利己的快楽主義の結果としても起る。故に真の救済は個人を捨てた後で新生命を得ねばならぬ。懸崖に手を撒して絶後に甦らねばならぬ。自己を捨てると共に自己を見出さねばならぬ。これがイエスの復活の真の意味である。自己を滅し尽した時、万物自己ならざるものはないのである。これが大乗仏教の解脱である。普通の基督教はかかる意味の解脱を考えずして単に積極の方面にのみ傾く。しかし真の基督教の意味は自分をすて、すべてをすてて、それから出ずる積極的生命でなければならぬ。基督教もこの意味において積極的救済の宗教でなければならぬ。パウロのいわゆる「キリスト我が内に在りて生くるなり」である。

基督教では、仏教を非倫理的であり、従って自然主義的となり虚無主義的となるという。仏教は隠遁の宗教であるという。しかしこれは大乗の真の理解ではない。（柳緑花紅は感覚的ではない。）仏教の救済は非道徳的ではなく超道徳的である。元来我々が倫理的規範という如きものを自覚し、それを中心として働く場合は、それが最も高いとするのであるが、それは自己中心を離れていない。倫理的理想という如きものはなお人間的である。人間の理想に従って善悪を定むる事は絶対なる神の意志に従う事ではない。自己の意志によって神の力を忖度する事となる。かく考うれば仏教が超道徳的であることは、道徳的であるよりは深い意味がある。仏教の救済は一層深い救済である。真の救済においては道徳的善悪を捨ててただ神に帰するのでなければならぬ。この意味は基督教にもある。聖書の中にもある。中世のエックハルトの考え等には最もよくこの事があらわれている。即ち、宗教的行為は目的なき行為である。天国とか、浄福とか、永久の生命とかは道徳的意志の正当な目的ではない。神はすべての特殊なる目的を離れている如く、裁きもすべての特殊の目的を離れなければならぬ。何物をも願う勿れ、しからば汝は神を得、またその内にすべてを得んと彼はいった。

人間的理想に従って道徳的と非道徳的とを分ち、これによって神の意志を付度するのはなお自己の意志を有するものである。仏教的救済はなお一層深い救済である。善悪の差別をも脱するのである。始めにいった様に宗教的規範意識は特殊な規範ではない。(理想と現実の統一である。)罪人は宗教に近いというのはこれがためである(歎異鈔、オスカー・ワイルド)。基督教でも聖書に神よこの杯を云々の語がある。またエックハルトの如きは道徳以上のものを説いている。

基督教は道徳的宗教であるというが、単に倫理的規範の上に立てられたるものならば宗教の本質を失うこととなる。カントの宗教観は非常に深い所のあるにかかわらず、かかる欠点があると思う。基督教の信仰の中心はやはりキリストの十字架上の死と復活の信仰にある。これによって罪を許されたという信仰が基督教の要点である(仏教において仏が我等のために修行したという考え(「安心決定鈔(あんじんけつじょうしょう)」)[6])。その意味は我々はどうしても自ら罪をのがれることはできぬ。人間には原罪がある。これを逃れるには神の恩寵による外はない。全く自分を捨てて神の恩寵によるのが基督教の本質である。自分の力では罪を贖うことが出来ぬ。そこで自分を神に任せて、自分を十字架にし、そこに自分の生命を見出すのである。パウロの如く自分は死し、たしかにイエスが自分になるのである。倫理的とはこの精神の結果として起る。自分をば全く十字架にかければ自分は純化され倫理的結果が現われる。

罪を逃れるには神の恩寵によらねばならぬ。この恩寵が要であって、倫理的ということはその結果である。我々自身の全き自己放棄即ち純化は倫理的結果を伴うまでである。(かく考えて神学的倫理の意味がある。)我々は自己の罪を深く感じ自ら救う能わざることを自覚すると共に、深く自ら省みれば自分の罪は自分が自己を立するから起る。ここにおいて絶対の他力に帰依する考えが起る。この時我々は、神は愛の神である、自分はすでに救済せられていることを悟る。歴史的信仰(イスラエルの伝統)は宗教の本質ではない、象徴である。

キリストの、代表者としての死によって原罪に贖いができたというのはイスラエルの伝統であろう。

カントが歴史的信仰を重く見ないのは誤りであると思う。

救済の本質は一種の真実の知であると思う。あきらめではない。これまで自分の救主を知らなかったのである。これにおいてスピノザの神の知的愛は深い宗教的意味をもって居ると思う。「安心決定鈔」の意味も同一であると思う。(仏体より已に成じたまいたりける往生をつたなく今日まで知らずして空しく流転しけるなり。)機法一体。

三、儀　礼

最後に宗教は必ず儀礼(Kultus)を伴う。ヴントなどは儀礼を宗教の本質的な特徴とまで考えて居る様であるが、儀礼は何も宗教に本質的なものとは考えられぬ。儀礼は宗教の外部に現われたるものに過ぎぬ。儀礼の重なるものは祈りと犠牲とである。

1　犠牲　犠牲の意味については異説がある。一般に行われている考えでは、犠牲とは神の恩恵を得るために神に捧げる供物または貢物であるというのである。しかしロバートソン・スミスの考えでは、犠牲は貢物を捧げることではなく、神と人間との間の一致を得んとするものである。即ち神聖なる犠牲獣の肉や血を共に分ち合って神人間の一致を得んとするのであるという。トーテミズムに本づく。この考えはセミティックの宗教では少くとも当てはまる。かく考えれば犠牲は宗教的生命の喜びの表出である。そして超経験的な力と結合することにより、自己の生命により高き聖化を与えんとする人間本来の要求に満足を与うるものである。かく考えれば犠牲は自然宗教の時代においては宗教の本質と不離の関係を有するものである事がわかる。しかし漸々文化が進むに従い自然宗教時代の犠牲は形式的となる。イエスのいった如く「われは情け深さを要し犠牲を要せず」(「マタイによる福音書」九・一三)という風になる。基督教教会ではキリストの死、即ち彼が神のため人間のために自分を犠牲にした事を最上の犠牲と考えた。犠牲は基督教ではイエスに似たる犠牲的精神である。これまでの犠牲は無用と考えられた(ヘブル書第九章十一節以下、第十章一―二十四節)。道徳的に空疎な儀礼的な犠牲を行う代りに、キリストと同様なる道徳的な犠牲(人類のために愛の努力と苦しみの中に働く犠牲)が真の犠牲と考えられる様になる。パウロはロマ書第十二章の中に「されば兄弟よ。われ神のもろもろの慈悲によりて汝らに勧む。己が身を神の悦びたまふ潔き活ける供物として献げよ。これ霊の祭なり」(一二・一)といい、またパウロは、「人は一つ体におほくの肢あれども、すべての肢その運用を同じうせぬ如く、我らも多くあれどキリストに在りて一つ体にして各人たがひに肢たるなり」(同、一二・四―五)といった。

犠牲は物をささげるのではなく心をささげるのである。

2 祈り　祈りは昔から犠牲と伴っている。祈りによって神々を犠牲の祭りによび出すのである。また祈りが犠牲の供えに先立って現われる時は、神にある仕事をなす約束と願いとが結合しているのである。始めは願うものの希望は感覚的であり、物質的である。しかし必ずしも自己中心的ではなく、自然宗教でも民族宗教になると、希望するものは単に物質的なものにあらずして、共同財産を保護するという如き、道徳上の意味を含んで来て民族の道徳的な全体意志が現われる。

祈りは二方向に発展する。一方は印度の宗教における如く、全く儀式となり、形式を正しくすることを重んずる。基督教徒は、仏教の祈りはかかるものであって、仏教の祈りが儀式になりし証であるという。これに反して他方は、基督教の如く、神の意識が高められると共に祈りが全く感覚的、自己中心的の意味を除去して、謙譲な服従と確信に充ちた希望の表現となる。これが基督教の祈りであるという。かかる祈りは神に何物をも求めず。ただ自分の謙譲なる服従と確信に充てる希望をいい現すのみである。ソクラテスはその先駆者である。曰く、神は何が我々にとってためになるかを我々以上によく知っている。それで我々は一般に善のみを願うべきであると。キリストは次の如くいった。「すべて祈りて願ふ事は、すでに得たりと信ぜよ、しからば得べし」(マルコ伝第十一章二十四節)。要するに基督教の祈りの意味は、神の愛に対する感謝の表現であり、神の業を助ける契約、我々人間の弱きことの謙遜なる自白、神に対する喜ばしき信頼を意味する。もし祈りに宗教的意味があれば、もちろん基督教徒のいう如きものでなければならぬ。しかし彼等の仏教に対する非難は当らない。仏教にても報恩感謝の念が含まれている。

祈りの宗教的意味は理想宗教においては神との交りの心の状態である。祈りによって我々は一種の心の状態を味わうのである。故にいわゆる祈りは必ずしも必要でない。(丘之禱久矣(7)〔「論語」述而〕)

注解

田中裕

Coincidentia oppositorum と愛

（1）**開学記念日講演**　真宗大谷大学の開学記念日講演。解説参照。

（2）**ニコラス・クザヌス**　ニコラウス・クザーヌス（Nicolaus Cusanus, 一四〇一―一四六四）は、東方新プラトン主義の否定神学の伝統を受け継ぐキリスト教の神学者でカトリック教会の枢機卿。彼の主著『智ある無知』は西田の著書のなかで何度も引用されている。

（3）**Coincidentia oppositorum であるとした**　ヘーゲルが直接にクザーヌスの名前を引用することはないが、大論理学有論第二篇第二章Cで、真無限と悪無限を区別したうえで、「真の数学的な質的無限」に言及している。たとえば $2/7=0.285714...$ の無限小数展開や $1/(1-a)=1+a+a^2+a^3+......$ の関数の無限級数展開は、左辺が「現実的な無限（infinitum actu）」として一定の量を現すのに対して、右辺は単に「想像された無限（infinitum imaginationis）」を表現するに過ぎないといっている。

（4）**大隠は市に隠る**　王康琚（おうこうきょ）の「反招隠詩（はんしょういんし）」にある言葉で、真に解脱した隠者は俗世を避けずに、市中で俗人と交わって超然と暮らすという意味。

(5) **カントール** ゲオルク・カントール(Georg Cantor, 一八四五—一九一八)はドイツの数学者で「無限集合論」の創始者。彼は、実無限論の立場を取り、無限を有限の否定とみなす有限主義の数学に反対した。カントール的な無限論では、無限集合は、自己自身と一対一に余すところなく対応する部分をもつ集合として、積極的に定義されている。これに対して、有限集合のほうは、「無限ではない集合」として――自己自身と一対一に余すところなく対応する部分をもたない集合として――消極的に定義される。西田がここで、カントールがヘーゲルの無限論を明晰にしたと言っている理由は、「有限とは無限の否定である」というスピノザからヘーゲルに受け継がれた実無限の思想を、カントールが数学の基礎を為す集合論でより厳密に規定したということであろう。

(6) **部分と全体とが同一…それである** 数学の実無限論における「全体と部分の同一性」という積極的定義を手引きとして、西田は「自覚(我が我を知る)」がまさに「知るもの(全体)」が「知られるもの(部分)」と同一であるが故に、「自覚するもの」と「自覚された世界」の無限性を主張している。

(7) **ヘーゲルは判断…として居る** 西田は「判断とは根源的なものの分割である」というヘーゲル的な判断論の基本を踏襲したうえで、およそ知(判断的な分析知)というものは一般にクザーヌスの言うような対立の統合を根柢にして成立すると考えている。「AはBであってCではない」という分析的判断が成立するためには、AでもBでもCでもないある総合的全体が把握されていなければならないが、その全体は、決して論理的な分析判断の対象とはならない。この総合的全体の直覚が、新たな知識を可能にするということである。

（8）**感情**　科学上の発見も、インスピレーションないしは生命の躍動感を伴う感情の働きであるとは、数学的発見が計算や証明を可能とする全体を直観する感情のうちにあるという意味である。数学者の発見が情緒に基づくということは日本を代表する独創的な数学者だった岡潔の考え方でもあった（高瀬正仁著『岡潔とその時代』参照）。岡潔の世界観・人生観は、彼が私淑した山崎弁栄（一八五九―一九二〇）の浄土教思想によるものであり、その「光明主義」は、クザーヌスの『智ある無知』の照明説に近いものであった（河波昌著『空と形相』参照）。

エックハルトの神秘説と一燈園生活

（1）**プロチン**　プロチヌス（Plotinus, 二〇五頃―二七〇）はローマ帝国支配下のヘレニズム時代を生きたエジプトの哲学者で、プラトンの思想を一元論の宗教哲学として展開した新プラトン主義の創始者。主著『エンネアデス』では、全宇宙の根源を一者と呼び、全ての存在の一者からの発出と帰還を説いた。一者は存在の彼方にあって言表できぬ第一原理であるが、そこから発出する叡智と魂を合わせて「三つの原理的なもの」と呼んだ彼の思想は、キリスト教教父の三位一体論（父―子―聖霊）の形成に影響を与えた。

（2）**マイステル・エックハルト**　Meister Eckhart（一二六〇頃―一三二七頃）。トマス・アクィナス(一二二五頃—一二七四)の後を継いでパリ大学の正教授を務めたドミニコ会の師僧。形有るもののすべてを越えて一なるものへと魂の内奥から突破して行くその大胆な思弁は、制度的な教会の教義学を重んじる神学者達によって危険視され、異端の告発を受けた。彼は、その告発が不当であるという弁明書を残したが、その教えは彼の死後に異端宣告を受けた。しかし、彼の教えは、タウラー(Johannes Tauler, 一二九五—一三六一)、ゾイゼ(Heinrich Seuse, 一二九五—一三六六)を通じて後世に伝えられ、宗教改革の時代以後も衰えることなくドイツ神秘主義の霊性を形成する力となり、ドイツ理想主義の哲学的精神にも影響を与えた。

(3) **ルイスブロック** Jan van Ruysbroeck(一二九四頃—一三八一)。ベルギーのフランドル地方で活動したキリスト教神秘家。ラテン語ではなく民衆の言葉(オランダ語)で脱俗、謙遜、神愛の一致を説く霊性的著作を残した。体系的な神学者ではなかったが、観想、謙遜、愛における神との一致を説く彼の著作はカトリックとプロテスタントを問わず後世に大きな影響を与えた。

(4) **マーテルリンク** メーテルリンク(Maurice Maeterlinck, 一八六二—一九四九)は一九一一年にノーベル文学賞を受賞したベルギーの劇作家、詩人。童話『青い鳥』の作者として日本でも知られているが、一八九四年に『ルイスブロックと神秘主義者達』を書いている。

(5) **トーマス・ア・ケムピス** トマス・ア・ケンピス(Thomas à Kempis, 一三七九頃—一四七一)はドイツのケンペン出身、オランダのアムステルダム近郊で没した神秘主義の思想家。西田は彼の著作を英訳で読んだので、ラテン語の著作 *De Imitatione Christi*(キリストにならいて)は霊的信心書として数多くの言語に翻訳され、カトリックにもプロテスタントにもよく読まれた。

日本では一五九六年にイエズス会の宣教師によって『こんてむつす・むんぢ』(Contemptus Mundi)の名で邦訳され、細川ガラシャがこの書を愛読していたという記録が残っている。

(6) **アッシジのフランシス**　アッシジのフランシス(Franciscus Assisiensis, 一一八一頃―一二二六)は、フランシスコ会の創設者として知られる中世イタリアの聖人。一切の地上的な財貨をもとめず、清貧と托鉢、貧者と病者への奉仕を実践するなど文字通り「キリストにならう」生活を実践した。彼はイタリア語の方言で民衆に福音書の教えを説き、音楽をもちいて詩編を歌ったと伝えられている。詩編一四八に基づく彼の『太陽の賛歌』は、自然界の一つ一つの事物を兄弟姉妹と呼びかける愛の賛歌として有名であるが、これは晩年に死の床で苦しんでいたときの作である。

(7) **スチンテリア**　スキンティルラ。エックハルトの中世ドイツ語の論述や説教では、「光」や「火花」のイメージが、人間を一(いち)なる神へと教導する象徴として用いられている。この霊的な象徴は、ドイツの文学作品の中でもよく使われている。たとえば、日本人にもよく知られているベートーベンの交響曲第九番第四楽章で歌われるシラーの「歓喜の歌」の冒頭には、「神の火花(Götterfunken)」という言葉があるが、これは我々の魂に内在するダイナミックな霊性の象徴である。

(8) **ディオニシュース**　ディオニシュース(Pseudo-Dionyusius Areopagita)は、使徒行伝でパウロの説教を聞いてキリスト者になったアレオパゴスのディオニシュースの著作と考えられた『神名論』『神秘神学』『天上位階論』などの著者。現在では五、六世紀頃のシリアの神学者と考えられているため擬ディオニシュースと呼ばれるのが普通であるが、神名論の注解を書いたトマス・アクィナスはじめ中世の神学者達に尊重された。否定を徹底したその神秘神学は、一なる神への上昇(世界否定)の道と、多なる世界への下降(世界肯定)の道を同時に説くものであって、キリスト教の一なる神への信仰と新プラトン主義を統合するものであった。

(9) *Le Travail* 農民思想家ボンダレーフ(Timofei Mikhailovich Bondarev, 一八二〇—一八九八)の著作は、ロシアでは異端視されて出版が困難であったため、彼に共鳴したトルストイの尽力によってフランスで出版された。日本では、この書はフランス語訳を通じてトルストイの名前とともに紹介されたので、西田も *Le Travail*(労働)というタイトルで引用している。ボンダレーフの思想は、労働を宗教的な義務とする点で「一日作さざれば、一日食らわず」という禅の清規や一燈園の勤労精神とも共通するところがあった。

(10) 「神の友」 神の友 Gottesfreunde という結社の名称は、エックハルトの弟子のタウラーの教導を受けたルルマン・メルスヴィン(Rulman Merswin, 一三〇七—一三八二)らの在俗修道会のメンバーが自分達を「神の友」と呼んでいたことに由来する。

生と実在と論理

この講演は他の講演と比較して外来語が翻訳されずにそのまま表記されているところが非常に多いので、専門の哲学研究者以外の一般読者にはわかりにくい。しかも、原文のままでは、ドイツ語の哲学用語とそれに対応する日本語訳の併記の仕方が一定していないので次のように表記を改めた。外国語が翻訳抜きで頻出する場合、凡例にも示したように日本語訳を〔　〕で注記した。日本語の哲学術語には、西田自身が使っている西洋哲学の訳語をあてる。複数の箇所に頻出する哲学用語は、原則として二度目以降は併記を避けた。

（1）**統覚**　「統覚」という用語は、デカルトの「我思う」が、無意識的な感覚と反省的な知覚を区別していないことを批判したライプニッツにまで遡る。彼は、多様な感覚表象を総合的に統一する知覚能力を「統覚」と呼んだのであるが、カントは、そのような感覚的表象が統合されて一つの客観的対象として認識されるのはなぜかを説明するために、感性的能力に由来しない自発的な純粋統覚が根源となって「我思う」の総合統一を可能にすると考えた。西田がここで問題とした図式時間の解釈問題は、当時のカント学者の間で、さまざまな論議を呼んだ困難な課題であった。

（2）**真の個物**　「単に他から限定されるのみで自らを限定しない個物は真の個物ではない」というところが西田の個物のとらえ方の核心である。「真の個物」とは、身体をもって此処今を生きる自我であって、それは「個物」であるとともに「人格(person)」である。

（3）**ここに…根拠がある**　自然法則であれ倫理法則であれ、「限定された一般者」は、個物を完全に限定し尽くすことは不可能である。個物の自己同一の根拠は、限定を越えた「無の一般者」によるというのが西田の立場である。そのような「無の一般者」の場には、一般者と個物の相互限定の極限における「揺らぎ(Schwanken)」があり、西田はそこに一般者から限定されるだけでなく、一般者を逆に限定する能動的な個物(bestimmendes Individuum)を見ている。

(4) **ノエマ**　西田のヘーゲル弁証法の批判には二つの論点がある。一つは、ヘーゲルが論理学を「有」から始めたために、絶対者に対象性―ノエマ的なものが残存していること。もう一つは、有―無―成の弁証法が単なる概念の展開としてのみ考察されているために、死即生という意識の根柢を突破する実存的な経験が捨象されていることである。

(5) **瞬間**　個物と瞬間は西田の理解では密接な連関がある。物理学的に理解された瞬間が他の瞬間と代替可能な個性を持たない点にすぎないのに対して、西田の考える瞬間は、一瞬一瞬が掛け替えのない唯一の「個体的なもの(Individuelles)」であり、今此処で生と死の間を生きる個人の実存的な宗教的経験において自覚されるものである。

(6) **Ortzeit**　局所時間(Ortzeit)は特殊相対性理論で登場した時間概念。ニュートン物理学では、時間は世界の全体に対してただ一つであるため、絶対的な同時性が初めから前提されていた。アインシュタインはこれに対して光を使って測定された同時性が観測基準系によって異なるという実験的な事実に基づいて、観測者の依拠する局所時間から、時空を統合する物理学を組み立てた。西田がこのような現代物理学の新しい動向に関心を持ち、精神界だけでなく自然界をも説明しうる新たな哲学的時間論の課題としていたことが、「種々なる時は場所の意味を有ち、空間的な意味を有つ」ことを「局所時間」と結びつけていたことからわかる。

(7) **メン・ドゥ・ビラン**　メーヌ・ド・ビラン(Maine de Biran, 一七六六―一八二四)はフランス革命の時代を生きた政治家でもあった哲学者。晩年の未完に終わった著書『人間学新論』は、人間の内奥にある精神的な力への言及があり、フランスのスピリチュアリズムに影響を与えた。

(8) **ノエシス**　西田は、フッサールの現象学の用語を踏襲して、意識する作用をノエシス、意識されたものをノエマと呼ぶ。両者を切り離さずに相関的に捉えることによって主客の二元論、意識と実在の二元論を超えて思索するというところはフッサールと同じであるが、フッサール自身は、厳密な学問の立場からのみ語り、死と生の問題に触れる宗教哲学の根本問題には踏み込まなかった。西田の場合は、単なる学問的分析だけにとどまらず、死と生の二元論、瞬間と永遠の二元論を超えて思索することを試みていると言ってよいだろう。

実在の根柢としての人格概念

(1) **守屋さん**　守屋喜七はこの講演のおこなわれた信濃哲学会の代表。信濃哲学会は、西田門下の務台理作(むたいりさく)と信濃教育会の人々によって一九二〇年に創立した哲学の研究会であった。

(2) **いわゆる…時間的である**　カントは、『純粋理性批判』の先験的感性論で、空間と時間を概念に先立つ感性の直観形式として論じている。

(3) **アリストテレスの『物理学』**　アリストテレスは『物理学』(physica「自然学」とも訳される)の第四巻第一〇—一四章で、時間に関する難問を列挙した上で、時間と運動の関係、時間の定義、時間と「今」との関係などを論じている。

(4) **カントの時代…考えである**　カントは、時間が先天的(アプリオリ)な直観形式であることを、(1)時間は経験の後で知られるものではないこと　(2)時間はただ一つであって、一般概念のように複数のものに該当しないこと　(3)時間は経験にとって必要不可欠の直観である　(4)時間は無限なるものとして与えられ、一定の時間はその制限である、という四点に即して説明している(『純粋理性批判』第一版三〇―三二、第二版四六―四八)。

(5) **時という…いうて居る**　カントは『純粋理性批判』の先験的弁証論で、テーゼ「世界は時間上はじまりを有し、空間上も限界の中に閉ざされている」と、アンチテーゼ「世界は、時間上ははじまりをもたず、空間上も限界をもたない」という対立命題をたてて、どちらも矛盾に導かれるので、理性はこの問題に対して決定を下すことができないと結論を下した(第一版五一八、第二版五四六)。

(6) **ベルグソン**　ベルクソン(Henri-Louis Bergson, 一八五九―一九四一)は、分割不可能な意識の流れを持続と呼び、空間とは違って一瞬の過去にも戻ることのできない不可逆性と、まだ決定されていない未来に向かう創造性を強調する独自の時間論を展開した。主著『創造的進化』の最終章で、彼はアリストテレスやカントなどの過去の哲学者達の時間論を批判すると共に、同時代の機械論的な進化論――自然淘汰と突然変異で生物進化を説明する議論――を批判し、生命の飛躍を重んじる創造的進化論を説いた。

(7) **普通に…よくない**　アウグスチヌス(Aurelius Augustinus, 三五四―四三〇)が『懺悔録』第一一章は、「天地の創造以前に神は何をしていたか」という異教徒の質問に答えるものであったが、それが次第に時間の本性を問う哲学的な議論となった。アウグスチヌスは西田によって最も多く引用されるキリスト教神学者であり、『懺悔録』の時間論は、『三位一体論』とともに西田に大きな影響を与えている。

(8) **相対性原理の…考え方である**　アインシュタイン(Albert Einstein, 一八七九—一九五五)は一九二二年に訪日し、京都大学でも「いかにして私は相対性理論をつくったか」という講演をしている。西田は物理学者の石原純と交流があり、アインシュタインの相対性理論に強い関心を持っていた。

(9) **プラトンの哲学**　プラトンのイデア説は、元来は、「SはPである」という判断の可能根拠として提示された説であって、Pのイデアとは、現代人の考えるような主観的な観念ではなく、客観的な実在としての一般者であった。主語Sはイデアを分取する現象的世界にあるに過ぎないので、真の実在は一般者としてのイデアである。西田は一般者の限定の方向から具体的な判断の根拠を考える哲学の典型としてプラトンを挙げている。

(10) **アリストテレスの考え**　アリストテレスは、その範疇論で、「この花(個物)」を第一実体と呼んでいる。それは主語となって述語とならぬものであり、他のいかなる主語の内にもないものである。その意味で、具体的な判断の可能根拠を、主語の方向に求めた哲学の典型として、西田はアリストテレスを挙げている。

(11) **ショーペンハウエル**　ショーペンハウエル(Arthur Schopenhauer, 一七八八—一八六〇)は、非合理な生の意志を現象世界の根柢としたので、無明(むみょう)の世界とその世界からの解脱を説く仏教の教説によく似た哲学を展開した。主著『意志と表象としての世界』の正編の結論で彼は、そのような解脱による自己否定をした人にとっては、「我々が実在すると見なす世界のほうが――その太陽と銀河の全てを含めて――無である」と言っている。

(12) **カントにも一理あるが**　『道徳形而上学的原論』(一七八五)の第三章の冒頭で、カントは、意志の自律を説明して「意志は、生命を有するものが理性を備えている限り、そのようなものに属する一種の原因性である。……これにたいして自然必然性は、理性を持たない一切のものに属する原因性である」と言っている。道徳律から行為を導き出すためには理性が要求されるから、カントの言う意志は実践理性のことで、決して非合理な意志ではない。

(13) **バークレー**　バークリー(George Berkely, 一六八五―一七五三)は、『人智原理論』で、「ものがある」とはそれが「知覚されている」ことであるという立場から、直接に知覚された観念だけを前提して、常識が「もの」と呼んでいる外界の事物を構成した。西田がカントの立場を「バークリーの立場を深くしたもの」と言っている理由は、『純粋理性批判』の第二版で付加された「観念論論駁」が、カントの認識論がバークリーのような主観的観念論ではなく、外的な事物の経験的な実在性を主張するものであることを明確にするために書かれたからである。

現実の世界の論理的構造

(1) **ライプニッツ**　ライプニッツ(Gottfried Wilhelm Leibniz, 一六四六―一七一六)は第一実体としての個物を物質的なものではなく精神的な実体と考えた唯心論者。モナド論は「存在するために他者を必要としない」実体の概念を受け継いでいたために、モナドの独立性を「窓がない」と表現したのであるが、複数のモナドの表象の間の対応を説明するために予定調和の説に訴えざるを得なかった。

(2) **ラプラース**　ラプラス(Pierre-Simon Laplace, 一七四九—一八二七)はフランスの数理物理学者で、物理学的な決定論を主張した。この物理学的決定論は、ボーアとハイゼンベルグの量子力学解釈によって微視的レベルでは原理的に成り立たないことが示された。またニュートン物理学が適用される巨視的な事象でも、初期条件の僅かな揺らぎが後に大きな変化を生む複雑なシステムでは、事実上、未来の決定論的予測は不可能である。

(3) **ボーア**　ニールス・ボーア(Niels Bohr, 一八八五—一九六二)のことであるが、ここで西田が引用している説は、二十世紀初頭のもので、量子力学の成立以前の段階の説明である。「私の体はエレクトロンが廻っているものに過ぎない」とは奇異に響くが、当時は「エレクトロン」という語は、ローレンツの「電子論」のように、正負の電荷をもつ荷電素粒子全体を指す広い意味で使われていた。中性子の発見(一九三二)以後は、電子という語は現在のように負の電荷を持つ素粒子のみを意味するようになった事に注意すればよい。大事な論点は、実体的な同一性をもって存続する不滅の原子という考え方が現代物理学では破棄されたということである。

(4) **テンニス**　テンニエス(Ferdinand Tönnies, 一八五五—一九三六)はドイツの社会学者。人間の形成する社会を、人間の本質意志にもとづく「共同社会(Gemeinschaft)」と人為的な選択意志にもとづく「利益社会(Gesellschaft)」の二つに類型化したことで知られている。

(5) 偉い哲学者も…と言っている　ヘーゲルは「世界史は東から西に向かって進む。ヨーロッパが世界史の終極であり、アジアがその始まりであるからである」(『歴史哲学講義』)とヨーロッパ中心主義の立場から文明の歴史の終極を語っている。

歴史的身体

(1) 『論理と生命』　『論理と生命』は『思想』第一七〇号(一九三六年七月)から一七二号(同年九月)まで三回にわたり掲載された。岩波文庫『西田幾多郎哲学論集』IIに所収。

(2) ゲーリンクス　ゲーリンクス(Arnold Geulincx, 一六二四―一六六九)はベルギーの哲学者で、フランスの哲学者マールブランシュ(Nicolas de Malebranche, 一六三八―一七一五)とともにデカルトの次の世代に属する。彼らは身心問題の解決のために、物理的な原因を真の原因とせずに、出来事が生じる機会を作ったと考える機会因(occasionalism)の考えをとった。

(3) キュビエー　キュビエ(Georges Cuvier, 一七六九―一八三二)はフランスの動物学者、比較解剖学者。天変地異説を唱えてラマルクの獲得形質の遺伝説を批判した。

宗教の光における人間

(1) ヴィンデルバント　ヴィンデルバント(Wilhelm Windelband, 一八四八―一九一五)はドイツの哲学者で新カント派（西南ドイツ学派）に属し、哲学史家として著名である。彼は、法則を定立する科学（一般に成り立つ必然的判断）に基づく科学と、個性を記述する科学に二つに分類した。西田哲学の用語を援用すれば、前者は、一般者からの限定を探求する学問であり、後者は、個物からの限定を重視する学問に対応するだろう。前者は物理学に典型的に見られる方法であり、後者は歴史が重要性を持つ価値関係的な文化を扱う。

（2）**クレールヴォーのベルナール**　クレルヴォーのベルナール（Bernard de Clairvaux, 一〇九〇―一一五三）はフランスの神学者でカトリック教会の聖人。ベネディクト修道会を改革したシトー会の修道院長として、フランスの霊性的伝統に大きな影響を与えた。

（3）**ロバートソン・スミス**　ロバートソン・スミス（William Robertson Smith, 一八四六―一八九四）はスコットランドの神学者で旧約学や東洋学をもとに比較宗教学の研究をおこなった。

（4）**ティーレ**　ティーレ（Cornelius Petrus Tiele, 一八三〇―一九〇二）はオランダの神学者、宗教学者。近代宗教学の創始者の一人である。

（5）**オルデンベルグ**　オルデンベルグ（Sergei Fyodorovich Ordenburg, 一八六三―一九三四）はロシアの東洋学者、仏教学者。

（6）**安心決定鈔**　「安心決定鈔（あんじんけつじょうしょう）」は浄土教の機法一体・他力念仏の教えを一四世紀初め頃に説いた仮名法語で著者は不明である。蓮如が重んじた文書で、真宗教学に影響を与えた。

（7）**丘之禱久矣**　丘之禱久矣（丘（きゅう）の禱（いの）ること久（ひさ）し）とは、論語の述而第七（じゅつじ）にある孔子の言葉。孔子の弟子の史路が、孔子の病気の平癒を神々に祈願することを求めたときに、答えた言葉で、「自分はこれまで、ことごとしく言葉には出さなかったけれども、(沈黙の)祈りを久しい間ささげてきたのだという意味である。

解　説

Coincidentia oppositorum と愛

田中　裕

一九一九(大正八)年、真宗大谷大学の開学記念日である十月十三日に西田は「Coincidentia oppositorum と愛」と題する講演をおこなった。聴講者の大多数が浄土真宗の信徒で占められていたこの講演で、ヨーロッパのキリスト教神秘主義者であるニコラウス・クザーヌスの思想を取り上げたということは、説明を要するだろう。

この講演の時代的な背景を理解するためには、真宗大谷大学の初代学長であった清沢満之(一八六三―一九〇三)の宗教哲学および浄土真宗教学の刷新を考慮しなければなるまい。清沢は西田よりも七歳年長であり、東京大学の哲学科で西洋哲学、とくにドイツ観念論の絶対者をめぐる思弁的形而上学を学んだ上で、伝統的な真宗の教学を新たな言葉と観点から再組織化した宗教哲学者であった。厳しい禁欲的な修行のはてに健康を損ない、自力の倫理的な努力の限界を見極めた清沢は、後期ストア派のエピクテートスの書物から、自ら変えることのできない運命を諦観する忍耐を学び、また親鸞の「歎異抄」から、絶対他者である如来に生かされる信心を学んだ。一九一四年に京大で宗教哲学講座を担当した西田に先んじて、清沢は、伝統的な仏教の教学よりも普遍的な視座に立つ「宗教哲学」を既に講じていたのである。独創的な宗教者の例に漏れず、清沢の思想は同時代人にはなかなか理解されなかったが、彼から直接に教えを受けた弟子達が、のちの大谷大学を担う存在となっていったのである。西田の開学記念講演は、雑誌『無尽燈』(第二四巻一〇号)に掲載されたが、この雑誌は、一八九五年に真宗大学寮の有志によって創刊されたもので、清沢門下の暁烏敏、佐々木月樵、多田鼎らが、自由な討議によって、近代に相応しい教学の振興をめざすものであった。

清沢満之およびその影響を受けた門下生達の浄土真宗的信心と講演者の西田幾多郎の哲学とがどこでふれあうかを見るために、この講演の二年前に西田が田辺元にあてた書簡(一九一六年五月九日付)の一節を引用しておきたい。西田はその専門の哲学論文で、同時代の日本の宗教者や哲学者の名前を直接に挙げることは稀であるので、『精神界』一九〇三年六月号に掲載された清沢満之の絶筆「我信念(我は此のごとく如来を信ず)」に言及している西田のこの書簡は貴重なものであろう。

小生は嘗て綱島梁川の書「病間録」「回光録」等、清沢氏の「我信念」等、面白く思ひ候。兎に角、貴兄の今度の経験は貴兄にとりて誠に此上なき試錬と存じ候。真の哲学は意識の上にあらず、我を潰して出て来らざるべからずと存じ候。我々は我々の小さき力を信じ、種々の都合よきplanを有す、こゝに誤ありと存じ候。

当時、仙台の東北大学で科学概論を担当していた田辺元の科学哲学の論文を評価していた西田は、田辺とたびたび文通していた。右記の文は、田辺の妻が病気のため転地療養した頃のもので、介護に心労する田辺への見舞状である。これはまた、自己や自己の最も愛するものの死に直面したとき、はたして哲学がどこまで助けになるかという田辺の問いに対して、西田が自己の見解をストレートに吐露している書簡でもあった。

西田は、真の哲学はまた同時に自分が生きる力ともならなければならないとのべ、その範例としてスピノーザとストア派のマルクス・アウレリウスを挙げている。この二人は、西田から見れば、永遠を観照することによって自己の運命を受容する倫理を教えた人である。そして、このような観照的態度を越えて更に深き宗教心を教える書物として西田は「聖書」を読むことを田辺に勧めている。倫理を宗教の上に置いたり、宗教を倫理に還元したりするような考え方を西田は終生とることがなかった。キリスト教の原点に他ならぬ福音書と、パウロ書簡をもつ「聖書」は西田にとって、西洋の哲学や倫理よりも、人生の機微に触れる点で遥かに深き書物であり、それを越えるような「新宗教」を説く必要のないものであった。

清沢満之の「我信念」は浄土真宗の絶対他力の信心を表明したものであったが、西田もまた自己の信念を同じ手紙の中で、「小生の信ずる所によれば真に心の落付きを与ふるものは禅の外な〔か〕るべしと存じ候」と率直に披瀝している。

ここで西田の言う「禅」とは、仏教の一宗派としての「禅宗」では決してなかったということに注意すべきであろう。西田にとって「禅」とは、彼の「竹馬の友」であった鈴木大拙が、米国人向けに書いた英文著作や講演でたびたび聖書の一節を「公案」として用いて、キリスト者に「禅」の精神を伝えたのと同じように、宗教宗派の違いを超えて、ドグマ抜きに直接に宗教者の心に訴えるものであった。それは『善の研究』では純粋経験として、『自覚に於ける直観と反省』では自覚として、西田自身の哲学を可能ならしめた根本的な経験を指示するものであった。「もう私が生きるのではなくキリストが私において生きる」という使徒パウロの回心の言葉と、「懸崖に手を撒(さっ)して絶後に蘇生する」という白隠門下の古郡兼通(こごおりかねみち)の投機の偈(げ)を「宇宙の大真理」を示すものとして引用したあとで、西田は「この外に宗教も哲学もなく」「真に深き哲学に入るには純知識の方の外に宗教とか芸術と〔か〕の Erlebnis〔経験〕も必要」と田辺宛書簡を結んでいる。

真宗大谷大学の開学記念講演の演題「Coincidentia oppositorum（反対の一致）」はニコラウス・クザーヌスの哲学の核心を表現する言葉である。彼の主著『智ある無知』や小対話篇『隠れたる神』には、一切のドグマを徹底的に「否定する」神学と、世界と人間の生を、隠れたる神の信仰において「肯定」するという根本的な思索があった。禅と浄土教という二つの大乗仏教の流れの内に展開した日本仏教の伝統を受け継ぐ西田は、このクザーヌスの考え方に注目し、般若経の絶対否定の論理と慈悲に基づく世俗の菩薩行と、クザーヌスの否定神学とキリスト教的な信仰にもとづく世界への愛の思想とに共通する哲学的な論理を見いだしたのである。

カトリック教会の司祭（枢機卿）でもあったクザーヌスは、キリスト教以外の異教を排除せず、様々に異なる礼拝のなかに一なる宗教があるという立場を取った。それは、深き宗教的経験の立場にたちつつも、独断に陥らずに宗教的寛容を説く教えであって、現代においてもその重要性を失わない。

西田もまた、キリスト教を日本の国体に反するものとして排除しようとした幕末から明治にかけての日本の多くの宗教者とは違って、キリスト教を異教として排除することをしなかった。福音書やパウロ書簡の宗教的経験の深さを洞察し、自らの禅の立場において、それを摂取し発展させた。西田とキリスト教を結ぶ媒介となったものは、ドグマに固執する神学ではなく、ドグマを越えるキリスト教の霊性的伝統であった。古代教父のアウグスチヌス、擬ディオニシュース、エリウゲナ、エックハルト、クザーヌス、ベーメと続くキリスト教の神秘主義の系譜に属する思想家を重視した日本で最初の哲学者は、おそらく西田幾多郎であろう。エックハルトを源流とするキリスト教神秘主義の精神的伝統は、西田門下の京都学派の宗教学研究の中で、西谷啓治や上田閑照(しずてる)によって受け継がれ、東西の霊性交流や宗教間対話を可能ならしめる哲学となっていった。

エックハルトの神秘説と一燈園生活

一燈園は西田天香(にしだてんこう)(一八七二―一九六八)によって一九〇四(明治三十七)年に創始された宗教的共同体である。無一物、無所有、托鉢、懺悔と報恩感謝の精神をモットーとするこの共同体は、諸宗教・宗派の違いを超えて、倉田百三や尾崎放哉など多くの文化人に影響を与えた。「文学博士某氏」とは西田幾多郎のことである。西田は京大教授として宗教学講座を担当した一九一三年の年末に文学博士となり、学位をもたぬ在野の研究者であった青年時代とはちがって、傍目には漸く帝国大学の教授として順調な研究生活の道を歩み始めたようにみえたかもしれない。しかしながら、一燈園での夏期托鉢会での講演がおこなわれた一九二二年から翌年の春までの西田は、三年前に脳溢血に倒れて病床に伏していた妻に加えて、娘二人がチフスで入院したために家族の介護にあけくれ、とくに重態で後遺症の心配された四女の行く末を心配した西田は「寸時も心のくもりはれる時はない」として、いくつかの短歌に託して日記に記している。

運命の鋏の鎖につながれてふみにじられて立つすべもなし
殿堂に詣でし如き心地して病む子を見舞ひ帰りくる道
子は右に母は左に床をなべ春はくれども起つ様もなし

田辺元宛の前掲の書簡で、逆境の時に哲学が生きる力を与えてくれるかどうかという問いに対して、まことの哲学はそうでなければならぬと答えた西田自身も、この当時は、かなり追い詰められた心境であったことが覗える。一九二三年の元日の日記の冒頭には、「万事が汝の望むがごとくに生起するよう求めてはならぬ。すべて起るがままに起るよう、かつそれが汝にとって好ましいものとなるよう欲せよ」というエピクテートスの言葉をドイツ語訳で引用し、さらには五月二一日の日記には、「From this very day I die to the world. I live only in my philosophy. Alles geopfert, alles geopfert, tiefes einflussreiches Erlebnis(今日この日から我は世界に死して哲学においてのみ生きる。すべてが捧げられた、すべてが捧げられた、深き力に満ちた経験)」と英語とドイツ語で記している。

西田のこの頃の日記には、彼がキリスト教神秘主義の歴史に関心を持ち、オリゲネス、エイレナイオス、クレメンスなど初代教父の著作をドイツに留学中の弟子達を通して注文していることがわかる。古代にまで遡るキリスト教的神秘主義の伝統から学びつつ、西田はみずからの禅の立場を普遍的な宗教哲学へと深めつつ、そのような哲学によって自らも生きることを志したと言ってよいであろう。

一燈園の夏期托鉢会での講演では、ドイツ神秘主義の源流とも言うべきエックハルトを中心として話が展開されている。エックハルトは中世末期のパリ大学の教授としてトマス・アクィナスの後を継いだドミニコ会の学僧であった。ドミニコ会は、それまでの修道会が世間を捨てて砂漠や山中に引きこもり、自給自足の修道生活を送っていたのに対して、市中にでて托鉢しつつ在俗の信徒達に伝道することを重んじる修道会であった。清貧に甘んじ托鉢で生活しながら民衆への奉仕活動を重視する点は、大乗仏教の菩薩行と同じである。

エックハルトの学問的な仕事は当時の学術用語であり国際語でもあったラテン語で書かれたが、ドミニコ会の司祭としての説教は、当時の日常語であった中高ドイツ語(Mittelhochdeutsch 高地ドイツで一〇五〇年頃から一三五〇年頃にかけて使われていたドイツ語)でなされた。後世に大きな影響を与えたのは、このドイツ語の説教であり、それは聖書の力動的な言葉の種子を民衆の大地的霊性のうちに蒔くことによって、独自のキリスト教的文化を開花させる力を持つものであった。

エックハルトの後世に及ぼした影響の中で、西田はとくに日常生活のただなかで師のおしえを実践したキリスト者に注目している。そのうちの一人であるルイスブロック Jan van Ruysbroeck(一二九三—一三八一)はベルギーのフランドル地方で活動したキリスト教神秘家であって、ラテン語ではなく民衆の生き生きとした言葉で、優れた霊性的な著作を残した。西田は、メーテルリンク Maurice Maeterlinck(一八六二—一九四九)の「ルイスブロックと神秘主義者達」(一八九四)を通してルイスブロックの事を知ったのであるが、ベルギーの劇作家で詩人のメーテルリンクを愛読しており、彼の『知恵と運命』を読むことを田辺元宛の書簡で奨めている。

西田は高等学校のドイツ語の教師をしていた頃に、学生達と交遊する私塾「三々塾」をひらいていたが、そのなかにはのちにキリスト教の牧師となって、欧米の神学の潮流を西田に伝えた逢坂元吉郎や高倉徳太郎らがいた。西田が『無の自覚的限定』のなかでキリスト教を本格的に論じるようになったのも、彼らをつうじて、第一次大戦後のヨーロッパのキリスト教神学の議論が、自己の宗教哲学の根本問題に触れるものであることを直観したからであろう。

西田は、仏教を汎神論でも有神論でもなく、両者の対立を越えたものであると度々述べている。実在の根柢を仏教のように非人格的な「法」とみるか、キリスト教のように人格的な「神」とみるか、一見するところ対立するように見える二つの考え方をどのように統合するのかという問題がある。更にそれと関連して、輪廻転生する衆生の生きる仏教的な円環的時間と、創造から最後の審判にいたるまで不可逆的に進行するキリスト教的な直線的時間という対立する二種類の時間をどのようにして統合するかという問題もある。これは仏教とキリスト教の対話を遂行する場合に、両宗教の相違だけを強調するのではなく、両者に通底する根源的な人格の理解、及び時間の理解は何であるかを探求することにつながるであろう。

西田は、純粋経験の立場から自覚の立場へ、自覚の立場からさらに場所の立場へと自己の哲学を展開していった。単なる論理分析と認識批判をもって終始するのではなく、人間の生死の問題と深く関わると同時に、人間の主体的実存をそこにおいて語りうる実在を問う哲学こそが求められた。『無の自覚的限定』以後の西田の宗教哲学は、このように生と実在と論理を不可分なひとつの全体と見る立場からの思索であり、その議論は、さしあたっては、人格と時間という二つの根本概念を焦点とするものであった。

生と実在と論理

京都大学を定年退官した後でも、西田は大学の門下生達に請われて私的な講演会を京大でおこなっていた。「生と実在と論理」は、一九三二年の一月と二月の三回に亘って、京大講堂でおこなわれた。この講演は、高坂正顕、西谷啓治によって筆記されたものであるが、内容は、この時期に書かれ、のちに『無の自覚的限定』として纏めて出版された西田の宗教哲学的著作と関わりが深い。

この講演は、「カントでは実在と生と論理の結合が不充分だった」という西田の立場からのカント哲学批判から始まっている。このような西田の考え方は、新カント派の哲学から現象学や歴史的生の解釈学へと移行しつつあった同時代のドイツ哲学の動向にも呼応するものであった。ハイデッガーの『存在と時間』が刊行されたのはこの講演の五年前であった。更に、エロスとアガペーの相違、自愛と他愛との関係、永遠の今と時間との関係など、当時の西欧のプロテスタント神学で論じられていた問題が、西田の立場から論ぜられている。生と実在と論理の不可分の関係を考えるためには、単にそれを現象学的な解釈学の問題として論じるにとどまらず、その背景を為しているキリスト教神学の問題を論じることも必要であると西田が考えていたことが注目される。

ヘーゲル哲学の弁証法を批判しつつ西田が自己の弁証法を語る議論は、この講演ですでに登場している。それは、ヘーゲルの思弁的哲学を一人一人の個人の宗教的実存の立場から批判する点において、キルケゴールを連想させるものであるが、西田の議論は、キルケゴールのヘーゲル批判をさらに一歩進めて、ヘーゲル的な普遍の立場と、キルケゴール的な個の立場を、「無の場所」における実在の論理によって統合するという構想の下に議論が進められている。「反対の一致と愛」を演題とした大谷大学での講演とおなじく、この実在の論理は、自愛および他愛という人格相互の関係と深く結びついているので、それに言及した部分に着目することが、西田の論理を理解する助けとなるだろう。

西田はまず「自我は個物でなければならない」という。自我の存在を思惟という精神の働きだけで確立するデカルトよりも、「我欲す故に我あり」と言ったメーヌ・ド・ビランのほうが、個別的な意志によって規定される我の存在を具体的に捉えていると述べた後で、西田は、「欲望するもの」としての自我を主題化し、この欲求の中に「自愛」の意味を見いだした後で、アウグスチヌスの自愛に関する考え方を引用している。

西田は、一九一八年の段階で「アウグスチヌスの三位一体論」という小篇を『智山学報』に寄稿していた。そこでは、「精神と愛と知」の間に成り立つアウグスチヌスのキリスト教的人間学の議論を「自己と自愛と自覚」の三位一体として西田が理解していたことがわかる。京大講演では、この三位一体的な自覚の構造の中で、自愛と欲求との関係が主題化されている点が新しいといえよう。

欲望の満足が自愛であるという考え方を西田は否定する。「愛は物に向けられる欲望とは正反対の方向に存する」のであって、「普通に言われるようにAがBと同一になることではない」とされる。「愛」は人格の相互的関係において始めて存在し、「他人を人格とすることによって自己を人格とするものであり」「他を絶対とすることによって自らを絶対とすることである」。この議論は、西田哲学を「主客合一」の汎神論とみる見方に反省を迫るものであろう。主体性をもつ他者との合一をもとめる愛(エロス)は、欲望に過ぎないのであって、真の愛(アガペー)とはいえないからである。西田は、「物から内面に進んで人格を見いだすのではなく」、「目的の王国」のなかで自我の成立を考えるのであるが、ここで、自我の「自己同一」を「絶対に隔離されたものの同一」の形において考えねばならないと言っているところに注目すべきだろう。

西田の愛についての議論の眼目は、自愛を利己主義として否定し、他愛に宗教的な利他主義を見いだすというような単純な精神主義を説くところにあるのではない。利己主義の根源にある欲望は、我々の身体性に深く関わるものであるがゆえに、人間的生にとって不可欠のものでもある。仏教においては煩悩とよばれ、キリスト教においては原罪とよばれた生のもっとも非合理な根柢を哲学的に主題化するためには、時間的な生を営む我々の身体(肉)に根ざす欲望の論理を分析する必要がある。この講演の最後で、西田は、非合理な意志を生の根源と見るショーペンハウエルや、「無から生ずる意志」を説いたキリスト教神秘主義者、ヤコブ・ベーメの言葉を援用しつつ、理性を越えた非合理な欲望に根ざす世界を厭離も排除もせずに、それを愛するアガペー論を素描している。

実在の根柢としての人格概念

この講演は「生と実在と論理」という講演と同じ年の九月におこなわれた。実在の根柢を人格に求めるところなど、前の講演と同じ思想が表明されているが、この講演では、ヘーゲルの観念論的弁証法とマルクス主義の唯物論的弁証法の両者の批判という新しい論点が付け加えられている。当時は、若い世代の哲学者にはマルクス主義が大きな影響力を持っており、西田の門下生達と西田がマルクスについて夜を徹して論じたという記録も残っている。現実の世界の論理的構造を語る場合、マルクス主義の問題が、当時の西田にとって避けることができない哲学的課題の一つであったと言ってよいであろう。西田には、マルクス主義は全体主義であり、そこでは自由で創造的な人格が抑圧される、という考えがあった。マルクスがヘーゲルの観念論を批判して、それに対して実在論的な基盤を与えた点は評価できるが、実在の根柢を物質に見るだけで人格に見ていないということがこの講演での西田の批判点である。

西田は自分の論点を聴衆に分かりやすく説明するために次のような図表を使っている。

自己において他を見る　←
他において自己を見る　→
｝真の自己

この図表でいうところの「真の自己」を実現することが、西田の言う行為的自覚であって、右半分だけを見たものが、ヘーゲルの唯心論的弁証法であり、左半分だけを見たものがマルクスの唯物論的な弁証法である。西田の言う行為的自覚の論理では、この相対立する二つの立場が一つに結びつかねばならない。片方だけの抽象的な立場では、結局の所、自由な人格としての自己が消えてしまうのであって、行為することに自己を見いだす西田の自覚の論理からすれば、ヘーゲル哲学の身体なき一般概念の自己展開も、マルクス主義の言う物質の運動も、一面的な抽象に過ぎないのである。ヘーゲルの哲学を顚倒することによってマルクス主義の弁証法的唯物論が登場したわけであるが、一面的な図式を顚倒しても依然として一面的であることは免れず、個人の創造性と自由が見落とされ、社会的・環境的な限定だけが全面に出ることとなるからである。

現実の世界の論理的構造

この連続講演は一九三〇年代の著作である『哲学の根本問題』、とくに「弁証法的一般者としての世界」の議論を解説したものである。同じ演題で西田は二年前の一九三三(昭和八)年に大谷大学でも連続五回の講演をしているので、その講演記録をも参照しながら西田の問題点を整理してみよう。大谷大学講演では、西田は西洋哲学で論理と呼ばれたものを、「アリストテレスの論理」「カントの超越論的論理」「ヘーゲルの弁証法」の三つに要約してそれぞれ批判している。ヘーゲルの弁証法は、単なる形式論理学ではなく、実在の世界の論理を志向したものであるので、西田の議論もヘーゲルの弁証法のどこに問題が残るかということを主眼としている。ヘーゲルは、主観と客観を統合する世界の中で人間の「自由」がいかに実現するかを主題としたが、西田の観点から見れば「我々がそれから生まれてそれに於いて働きそれにおいて死ぬ現実の世界」が明らかになってはいない。ヘーゲルを批判したマルクス主義の弁証法は自然科学的な実在論を前提としていて、我々の人格的自由と相互の交わりが捨象されている。どちらも自由な個人の創造性を無視する全体主義のシステムとなる理由がそこにある。したがって、我々は、「主観客観を包摂する現実の世界」を捉える論理がいかなる構造をもつかということをあらためて考えなければならない――これが当時の西田の課題であった。

『善の研究』以来、西田の課題は同一であったとも言えるが、主観・客観の区別以前の純粋経験からこの世界を考えた初期の立場は、主観的な心理主義に傾くものであったがゆえに不充分であったと断ったうえで、西田は「現実の世界を論理的に如何なるものとして考えるか」という、京都府教育会館の講演の本題に入っている。

まず西田は「時間空間の世界、物が互に働く世界とは一体どういうものであるか」を考えることから議論を始める。誰しも我々が生活している世界は時間的であると同時に空間的であるということを認めるであろう。しかし、時間と空間が一つになるということはどうして可能になるのであろうか。時間は直線的かつ不可逆的に我々の経験を限定するものであるが、空間はこれに反して円環的可逆的に我々の経験を限定する。時間が円環的となって未来と過去が結びつけば時というものはなくなるであろう。また、空間には、過去も未来もなく、不可逆的な方向性などは存在しない。このように時間と空間は互いに矛盾するものであって、別々に考察するならば結びつきようのないものである。ところが現実の世界では、その時間と空間が一つに結びついている。西田の言う「絶対に相反するものの自己同一」という表現は、難解であるとしてしばしば批判されたものであったが、西田はこの講演の中で、誰もが生きている現実の世界では、まさに時間空間の矛盾したものが結びついているということに注意を喚起している。

しかし時間空間の矛盾的な同一性はいかにして実現するのか。古来、哲学では「時間とは何か」が、アウグスチヌス以来難問として論じられてきたので、西田はまず時間について論じている。

西田の時間論の独自な点は、生まれては滅し、滅しては生まれる生滅(しょうめつ)を繰り返す個物の結合として時間を考えるところにある。ライプニッツは「単子論(モナドロジー)」で、互いに独立な精神的実体であるモナドが現実の世界の構成要素であると説いたが、この単子から実体的な性格を奪って、それを生滅する瞬間におきかえたものが西田の時間論であると言って良いであろう。モナドが独立でありながら、互いに他のすべてのモナドを映し出すように、西田の言う「瞬間」も互いに独立でありながら他のすべての瞬間を映すというかたちで相互に結合するという性格を持っているからである。

「瞬間」をモナドと考える西田は、次に個物に関するアリストテレスとライプニッツの考え方を順番に取り上げ、双方の難点を指摘している。「個物とは主語となって述語とならぬ物である」というアリストテレスの定義は、個物のありかたをよく捉えてはいるが、自分から働く物、独立なる個物はこのような一般的な定義からはまだ出てこない。ライプニッツのモナドは、他によらず他から独立した個物であって、自ら働く物であるが故に、アリストテレスの個物よりも一歩進んだ考え方であるが、他の個物との相互関係を考えることができないという難問がのこる。予定調和を窮余の策とみる西田は、「互に独立でありながらそれが結びつく」個物と個物の結合の媒介者は何かという考察に移る。媒介者を個物の内側に求めるのは観念論の立場であって、一切が他者性を喪失し、我と汝の区別も消失し、一般的な我、意識一般あるいはヘーゲルの絶対精神のような一般者となって、個物の個物たるところが消されてしまう。これに対して外側から個物を結合しようとすると、個物はすべて外界の一部となって個物は消えてしまう。西田はしたがって、個物Eと一般者Aを結合するMを媒介者とする立場を取る。この媒介者が華厳仏教で言う「一即多」、「多即一」の「即」に該当するものであり、この「即」の媒介によって独立でありながら一つである個物を考えるというのが西田の考えであった。時間のモナド論を説明した後で、西田は次に空間について説明している。幾何学者が考える抽象的な空間ではなくて、そのような抽象的な空間のもととなっている現実の世界の物と物との同時的存在の意味の究明である。

西田はここで、現在を原点として縦軸に過去から未来に行く瞬間の系列を描き、横軸に過去の瞬間と未来の瞬間を交互に射影した空間を表示している。この図式が意味するところは、時間と空間は一つに結びつくところは常に現在であって、その現在こそが現実の世界の中心になり、そこが物と物とが働く世界であるということである。したがって西田の言う「現在」は「私がここに在る」ということであり、それは空間的であると同時に時間的であり、心の世界であると同時に物の世界であるということを意味している。

唯物論的な客観主義からではなく、また唯心論的な主観主義でもなく、両者を統合する現実の世界の論理を、個物Eと一般Aを媒介する「即」の論理に求めた西田は、この考え方に基づいて現代の自然科学や社会学の成果をどのように解釈できるかという説明もおこなっている。物理学や生物学、そして電磁気学や場の理論、そして生物学の事例を引いて、説明している。西田は当時の最先端の科学のパイオニア――たちの科学的探求をおこなっているかということに強い関心をもっていた。科学が対象としている世界も我々がそこにおいて、そこから生死する現実の世界に含まれる以上、実在の中に含まれるからである。そして、このような視点から、さらに科学時代における道徳や宗教の意味、東洋と西洋の比較文化論的な解説と両者の相補的な関係についてまでも論じている。とくに近代科学の支配する時代における宗教の意味を考える上で、西田の議論は、宗教を単なる主観の領域に、また科学を単なる客観の領域に閉じ込めて没交渉とするのではなく、両者を統合する論理を提供する物である。また、一般的な文明と特殊な文化を一人一人の個人の創造的な働きによって媒介し統合する西田の議論は、科学の進歩によってグローバル化した状況において、異宗教・異文化の間の対立・排除・衝突の解決に苦しむことによって特徴付けられる現代世界においても貴重な示唆を与えるものと言えよう。

歴史的身体

この講演は、「歴史的身体」という後期の西田哲学に固有の術語を哲学者ではない一般の聴衆にむけて、日常世界に即して説明したものである。我々の文化や精神が歴史性をもつというにとどまらず、身体が歴史性をもつという議論とは、身体的なものと精神的な物が、対立の一致を表す「即」の論理でひとつとなっている以上、身体の歴史性は西田にとって当然のことであった。そして、この講演で、さらに注目すべきことは、行為的自覚の論理を、人間の道具を使った制作活動、創造活動に結びつけることによってより具体的に語っている点である。

アリストテレスの考え方では、理論的な観照、道徳的な実践、芸術的な創作はそれぞれ異なる働きであるが、西田の場合はその三つは不可分の全体であり、我々の内なる世界と外なる世界の相互的な関係を表現するものとして身体を用いた創作活動がその中心に位置している。芸術家の作品は、外界にあって作者を離れて客観的に存在し、それが逆に作者自身をふくむ個人の創作活動の前提となる。西田はこのような芸術的創作の論理を「造られたものが作るものを作る」と表現している。

西田の言う創作活動は、芸術家だけに限定されたものではなく、もっと一般的に、あらゆる人間の働きのなかに含まれるものであり、さらにいえば目的論的な機能によって働くすべての有機的な組織体に言えることでもある。この機能を持つ有機組織としての身体という考え方が、「歴史的身体」という用語に結実したといえよう。「創造的制作的な歴史的世界を離れて体も意識的自己もあるのではなく」、意識や自己意識よりも深い

「創造的形成的世界」で成立する。それは西田独自の社会存在論であり、いろいろな文化と伝統をもった民族社会を歴史的な種としてとらえ、それらの「歴史的身体的な社会」が相互に創造的な制作活動をおこなうことによって、普遍的な全体としての歴史的世界の発展に寄与するという考え方を提示している。

西田は、論文においても講演においても田辺元の名前に言及することはないが、「歴史的身体」という考え方は、西田哲学には類と個のみがあって種の媒介という思想がないという田辺からの批判に対する西田の側からの応答ともいえるであろう。田辺の「種の論理」が、実体化された種(国家)が個を否定して類的な普遍(人類)に媒介するという論理であるのに対して、西田の歴史的な身体論では、創造的制作の主体はあくまでも個物なのであって、その個物相互の制作活動を、創造的世界の創造的要素として焦点に据えた議論であるといえよう。

宗教の光における人間

これは京都大学で一九二七(昭和二)年から翌年にかけておこなわれた京都大学での「宗教学」の講義記録の最終章(第六章)である。この講義を聴講した久松真一は、二十五年後に刊行された『西田幾多郎全集』の第十五巻の講義録を編輯するに際して、「これまで誰のいかなる講義に於いてもかつて経験したことのない宗教的感激と学問的緊張とをもって各週千秋の思いで聴講した」と回想している。西田が翌年に宗教学講座から哲学・哲学史講座へと転任したためにこの講義は一年しかなされなかったが、「もしこの講義がなされなかったならば、我々は永遠に先生の宗教学概論に接することはできなかったのであるから、たといただの一年でもこれがなされたことはまことに有意義なことであったといわねばならぬ」と久松は編輯後記に記している。

この講義記録は次のように全部で六章からなっている。

第一章　序論
　一　宗教研究の中心問題　二　宗教研究の立場と方法

第二章　宗教研究の変遷
　一　哲学史上に於ける宗教の哲学的研究　二　一九世紀以後のドイツ宗教哲学　三　最近のドイツ哲学の分類　四　宗教学の勃興とその変遷

第三章　宗教的要求
　一　プラグマティズムの宗教観　二　社会心理学的立場の宗教観　三　上記

この講義は一回限りのものであったので、同じような講義録である「哲学概論」がほぼ二十年に亘って続けられたのとは対照的であるが、その内容は「哲学概論」よりもはるかに個性的で読むものの琴線に触れるものがある。「編輯後記」にあるように、この講義録は、みずからも京都大学の宗教学講座を担当するようになった久松真一と西田幾多郎との一期一会の邂逅の記録でもあった。この講義録は、基本的に久松の筆記記録を底本としているが、西田没後に発見された講義の覚書も参照している。（講義記録で、段落を一段さげた部分に収録されている文が、西田自身の覚書をもとに補足した箇所である）

この宗教学講義は、一九二七年当時の欧米の宗教学あるいは宗教哲学の様々な関連文献を精査して、それを西田自身の観点から主体的に整理し要約したものであるが、西田哲学そのものが、その核心の部分で宗教に深く関わりをもつものであるが故に、最晩年の『場所的論理と宗教的世界観』にいたるまでの彼の宗教哲学の成立史を論ずる上で貴重なものと言ってよいだろう。

西田幾多郎講演集（にしだきたろうこうえんしゅう）

2020年6月16日　第1刷発行
2021年10月15日　第2刷発行

編　者　田中　裕（たなかゆたか）

発行者　坂本政謙

発行所　株式会社　岩波書店
〒101-8002 東京都千代田区一ツ橋 2-5-5

案内 03-5210-4000　営業部 03-5210-4111
文庫編集部 03-5210-4051
https://www.iwanami.co.jp/

印刷・精興社　製本・牧製本

ISBN 978-4-00-331249-0　　Printed in Japan

読書子に寄す

――岩波文庫発刊に際して――

岩波茂雄

真理は万人によって求められることを自ら欲し、芸術は万人によって愛されることを自ら望む。かつては民を愚昧ならしめるために学芸が最も狭き堂宇に閉鎖されたことがあった。今や知識と美とを特権階級の独占より奪い返すことはつねに進取的なる民衆の切実なる要求である。岩波文庫はこの要求に応じそれに励まされて生まれた。それは生命ある不朽の書を少数者の書斎と研究室とより解放して街頭にくまなく立たしめ民衆に伍せしめるであろう。近時大量生産予約出版の流行を見る。その広告宣伝の狂態はしばらくおくも、後代にのこすと誇称する全集がその編集に万全の用意をなしたるか。千古の典籍の翻訳企図に敬虔の態度を欠かざりしか。さらに分売を許さず読者を繋縛して数十冊を強うるがごとき、はたしてその揚言する学芸解放のゆえんなりや。吾人は天下の名士の声に和してこれを推挙するに躊躇するものである。このときにあたって、岩波書店は自己の責務のいよいよ重大なるを思い、従来の方針の徹底を期するため、すでに十数年以前より志して来た計画を慎重審議この際断然実行することにした。吾人は範をかのレクラム文庫にとり、古今東西にわたって文芸・哲学・社会科学・自然科学等種類のいかんを問わず、いやしくも万人の必読すべき真に古典的価値ある書をきわめて簡易なる形式において逐次刊行し、あらゆる人間に須要なる生活向上の資料、生活批判の原理を提供せんと欲する。この文庫は予約出版の方法を排したるがゆえに、読者は自己の欲する時に自己の欲する書物を各個に自由に選択することができる。携帯に便にして価格の低きを最主とするがゆえに、外観を顧みざるも内容に至っては厳選最も力を尽くし、従来の岩波出版物の特色をますます発揮せしめようとする。この計画たるや世間の一時の投機的なるものと異なり、永遠の事業として吾人は微力を傾倒し、あらゆる犠牲を忍んで今後永久に継続発展せしめ、もって文庫の使命を遺憾なく果たさしめることを期する。芸術を愛し知識を求むる士の自ら進んでこの挙に参加し、希望と忠言とを寄せられることは吾人の熱望するところである。その性質上経済的には最も困難多きこの事業にあえて当たらんとする吾人の志を諒として、その達成のため世の読書子とのうるわしき共同を期待する。

昭和二年七月

《哲学・教育・宗教》〔青〕

- ソクラテスの弁明・クリトン　プラトン　久保勉訳
- ゴルギアス　プラトン　加来彰俊訳
- 饗宴　プラトン　久保勉訳
- テアイテトス　プラトン　田中美知太郎訳
- パイドロス　プラトン　藤沢令夫訳
- メノン　プラトン　藤沢令夫訳
- 国家　全二冊　プラトン　藤沢令夫訳
- プロタゴラス　—ソフィストたち　プラトン　藤沢令夫訳
- パイドン　—魂の不死について　プラトン　岩田靖夫訳
- アナバシス　—敵中横断六〇〇〇キロ　クセノポン　松平千秋訳
- アリストテレス　ニコマコス倫理学　全二冊　高田三郎訳
- アリストテレス　形而上学　全二冊　出隆訳
- アリストテレス　弁論術　戸塚七郎訳
- アリストテレース詩学・ホラーティウス詩論　松本仁助・岡道男訳
- 物の本質について　ルクレーティウス　樋口勝彦訳
- エピクロス　—教説と手紙　出隆・岩崎允胤訳

- 生の短さについて　他二篇　セネカ　大西英文訳
- 怒りについて　他二篇　セネカ　兼利琢也訳
- エピクテトス　人生談義　全二冊　國方栄二訳
- マルクス・アウレーリウス　自省録　神谷美恵子訳
- 老年について　キケロー　中務哲郎訳
- 友情について　キケロー　中務哲郎訳
- 弁論家について　全二冊　キケロー　大西英文訳
- キケロー書簡集　高橋宏幸編
- 方法序説　デカルト　谷川多佳子訳
- 哲学原理　デカルト　桂寿一訳
- 精神指導の規則　デカルト　野田又夫訳
- 情念論　デカルト　谷川多佳子訳
- パンセ　全三冊　パスカル　塩川徹也訳
- 知性改善論　スピノザ　畠中尚志訳
- スピノザ　エチカ（倫理学）　全二冊　畠中尚志訳
- モナドロジー　他二篇　ライプニッツ　谷川多佳子・岡部英男訳
- 学問の進歩　ベーコン　服部英次郎・多田英次訳

- ハイラスとフィロナスの三つの対話　バークリ　戸田剛文訳
- 市民の国について　全二冊　ヒューム　小松茂夫訳
- 自然宗教をめぐる対話　ヒューム　犬塚元訳
- 人間機械論　ド・ラ・メトリ　杉捷夫訳
- 聖トマス　形而上学叙説　—有と本質とに就いて　高桑純夫訳
- エミール　全三冊　ルソー　今野一雄訳
- ルソー　告白　全三冊　桑原武夫訳
- 孤独な散歩者の夢想　ルソー　今野一雄訳
- 人間不平等起原論　ルソー　本田喜代治・平岡昇訳
- ルソー　社会契約論　桑原武夫・前川貞次郎訳
- 政治経済論　ルソー　河野健二訳
- 学問芸術論　ルソー　前川貞次郎訳
- 演劇について　—ダランベールへの手紙　ルソー　今野一雄訳
- 言語起源論　—旋律と音楽的模倣について　ルソー　増田真訳
- ディドロ、ダランベール編　百科全書　—序論および代表項目　桑原武夫訳編
- ディドロ　絵画について　佐々木健一訳
- 道徳形而上学原論　カント　篠田英雄訳